UMA ESTRANHA EM CASA

CB040825

Obras da autora publicadas pela Editora Record

O casal que mora ao lado
Uma estranha em casa

SHARI LAPENA

UMA ESTRANHA EM CASA

Tradução de
Márcio El-Jaick

1ª edição

EDITORA RECORD
RIO DE JANEIRO • SÃO PAULO
2018

CIP-BRASIL. CATALOGAÇÃO NA PUBLICAÇÃO
SINDICATO NACIONAL DOS EDITORES DE LIVROS, RJ

L316e

Lapena, Shari, 1960-
Uma estranha em casa / Shari Lapena; tradução de Márcio El-Jaick. – 1ª ed. – Rio de Janeiro: Record, 2018.
266 p.; 23 cm.

Tradução de: A Stranger in the House
ISBN 978-85-01-11360-3

1. Romance canadense. I. El-Jaick, Márcio. II. Título.

18-48479

CDD: 819.3
CDU: 821.111(71)-3

TÍTULO EM INGLÊS:
A STRANGER IN THE HOUSE

Copyright © 1742145 Ontario Limited 2017

Texto revisado segundo o novo Acordo Ortográfico da Língua Portuguesa.

Todos os direitos reservados. Proibida a reprodução, no todo ou em parte, através de quaisquer meios. Os direitos morais da autora foram assegurados.

Direitos exclusivos de publicação em língua portuguesa somente para o Brasil adquiridos pela
EDITORA RECORD LTDA.
Rua Argentina, 171 – Rio de Janeiro, RJ – 20921-380 – Tel.: (21) 2585-2000,
que se reserva a propriedade literária desta tradução.

Impresso no Brasil

ISBN 978-85-01-11360-3

Seja um leitor preferencial Record.
Cadastre-se no site www.record.com.br
e receba informações sobre nossos
lançamentos e nossas promoções.

Atendimento e venda direta ao leitor:
mdireto@record.com.br ou (21) 2585-2002.

Para Manuel, Christopher e Julia, sempre.

Prólogo

Seu lugar não é aqui.

Ela sai correndo pela porta dos fundos do restaurante abandonado, tropeçando na escuridão — a maioria das lâmpadas está queimada ou quebrada —, ofegando ruidosamente. Corre como um animal desesperado para o local onde estacionou o carro, agindo quase inconscientemente. De alguma forma, consegue abrir a porta. Afivela o cinto de segurança sem pensar, dá ré cantando pneu e sai do estacionamento sem desacelerar nem mesmo uma vez. Algo no centro comercial do outro lado da rua chama sua atenção, mas ela não tem tempo de registrar o que vê, porque já está no cruzamento. Avança o sinal vermelho, acelerando. Não está em condições de raciocinar.

Outro cruzamento: ela passa zunindo. Está dirigindo acima do limite de velocidade, mas não se importa. Precisa fugir.

Mais um cruzamento, outro sinal vermelho. Os carros já avançam na outra direção. Ela não para, atravessa o cruzamento contornando um dos carros, deixando um rastro de confusão ao passar. Ouve o rangido de pneus e buzinas ficando para trás. Está perto de perder o controle do veículo. Então o perde — e tem um momento de lucidez, de incredulidade, enquanto pisa freneticamente no freio e o carro avança na direção do meio-fio, batendo de frente em um poste.

Capítulo Um

NESSA NOITE QUENTE de agosto, Tom Krupp estaciona o Lexus na entrada de sua bela casa de dois andares, com garagem dupla e um extenso jardim, com bonitas árvores antigas dos dois lados. À direita da entrada para veículos, um caminho de pedra conduz à varanda, que leva à maciça porta de madeira localizada no meio da casa. À direita da porta, há uma janela grande, que ocupa toda a largura da sala.

A casa fica numa rua que faz uma leve curva e não tem saída. As outras propriedades são igualmente bonitas e bem-conservadas, relativamente parecidas. As pessoas que moram ali são bem--sucedidas e têm vidas estáveis. Todas um pouco arrogantes.

Essa tranquila e próspera área residencial do norte do estado de Nova York, cuja maioria dos moradores é de casais que trabalham fora e seus filhos, parece alheia aos problemas da cidade, alheia aos problemas do mundo, como se o sonho americano estivesse presente ali, imperturbável.

Mas a paisagem tranquila não corresponde ao atual estado de espírito de Tom. Ele apaga o farol, desliga o motor e permanece sentado na penumbra, sentindo desprezo por si próprio.

Então, assustado, nota que o carro da esposa não está estacionado no lugar de sempre. Automaticamente consulta o relógio:

21h20. Será que se esqueceu de alguma coisa? *Ela avisou que ia sair?* Tom não se lembra de ela ter mencionado nada, mas, por outro lado, anda tão ocupado ultimamente. *Talvez ela tenha só saído para resolver alguma coisa e já esteja voltando.* Deixou a luz acesa, o que confere à casa um brilho acolhedor.

Engolindo sua frustração, ele salta do carro para a noite de verão — para o cheiro de grama recém-cortada. Queria muito ver a esposa. Detém-se por um instante, a mão na capota do carro, olhando para o outro lado da rua. Pega a pasta e o paletó no banco do carona e fecha a porta do veículo. Atravessa o caminho de pedras, sobe os degraus da varanda e abre a porta. Há algo errado. Ele prende a respiração.

Tom está paralisado em frente à porta, a mão na maçaneta. A princípio, não sabe o que o incomoda, mas logo entende o que é. A porta não está trancada. Isso por si só não é algo incomum: na maioria das noites, quando chega à sua casa, entra direto, porque, na maioria das noites, Karen está em casa, esperando por ele. Mas ela saiu de carro e se esqueceu de trancar a porta. Isso é muito estranho, em se tratando de sua esposa, que sempre faz questão de trancar todas as portas. Aos poucos volta a respirar normalmente, tentando se acalmar. *Talvez ela estivesse com pressa e acabou esquecendo.*

Seus olhos rapidamente varrem a sala, o cômodo plácido, cinza-claro e branco. Está tudo silencioso; é evidente que não há ninguém em casa. Ela deixou a luz acesa, então não deve demorar. *Talvez tenha saído para comprar leite.* Deve haver um bilhete para ele. Tom joga a chave em cima da mesinha junto à porta e vai direto para a cozinha, nos fundos da casa. Está morrendo de fome. Ele se pergunta se a esposa já comeu ou se ficou esperando por ele.

Logo percebe que ela estava preparando o jantar. A salada está praticamente pronta: ela cortou só a metade do tomate. Ele vê a tábua de madeira, o tomate e a faca afiada ao lado. Há macarrão na bancada de granito, pronto para ser cozido, uma panela grande com água sobre o fogão de aço inoxidável. O fogão está desligado, e a água da panela, fria, que Tom conferiu com o dedo. Procura um bilhete na porta da geladeira: não há nada. Ele franze o cenho. Pega o celular no bolso da calça para ver se tem alguma mensagem dela. Nada. Agora está um pouco irritado. Ela poderia ter avisado.

Tom abre a porta da geladeira e fica parado ali por alguns instantes, fitando o interior sem vê-lo de fato, antes de pegar uma cerveja importada e decidir preparar o macarrão. Tem certeza de que ela chegará a qualquer momento. Olha ao redor rapidamente perguntando-se o que poderia estar faltando. Leite, pão, molho de tomate, vinho, queijo parmesão. Confere o banheiro: há papel higiênico de sobra. Ele não consegue imaginar mais nada que pudesse ser urgente. Enquanto espera a água ferver, liga para o celular dela, mas ela não atende.

Quinze minutos depois, o macarrão está pronto, mas não há sinal de sua esposa. Tom deixa a massa no escorredor, dentro da pia, desliga o fogo da panela com o molho de tomate e anda pela sala. Ele já se esqueceu da fome. Olha pela janela para o jardim, para a rua. *Onde ela se meteu?* Está começando a ficar nervoso. Liga de novo para o celular e ouve uma leve vibração atrás de si. Vira-se de imediato na direção do ruído e vê um celular vibrando junto ao encosto do sofá. *Merda. Ela esqueceu o telefone. Como ele vai conseguir falar com ela agora?*

Começa a procurar pistas que indiquem aonde ela pode ter ido. Quando chega ao quarto, no segundo andar, fica surpreso por encontrar a bolsa dela em cima da mesinha de cabeceira. Ele a abre sem jeito, sentindo-se ligeiramente culpado por estar mexendo na bolsa da esposa, pois acha aquilo uma espécie de invasão de privacidade. Mas é uma emergência. Ele espalha todo o conteúdo em cima da cama arrumada. A carteira, o porta-moedas, batom, caneta, um pacotinho de lenços, está tudo ali. *Então ela não saiu para comprar nada. Talvez tenha ido ajudar uma amiga. Pode ter sido uma emergência.* Mas, mesmo assim, ela teria levado a bolsa, se fosse sair de carro. E, a essa altura, não teria telefonado para ele se pudesse? Teria pedido um telefone emprestado. Não é do feitio dela ser tão relapsa assim.

Tom se senta na cama, apavorado. O coração batendo acelerado. Há algo errado. Pensa em ligar para a polícia. Imagina o que iria dizer. *Minha mulher saiu, e eu não sei onde ela está. Saiu sem telefone, sem bolsa e se esqueceu de trancar a porta. Isso não é do feitio dela.* Provavelmente não o levariam a sério, tendo ela saído há tão pouco tempo. Não existe sinal de ter havido um problema. Não há nada fora do lugar.

Ele se levanta para checar o restante da casa. Mas não encontra nada alarmante: nenhum telefone fora do gancho, nenhuma janela quebrada, nenhuma mancha de sangue no chão. Ainda assim, está nervoso como se houvesse sinais de tudo aquilo ali.

Para de súbito. Talvez a polícia imagine que eles brigaram. Não adiantaria nada Tom dizer que não houve briga nenhuma, que eles quase nunca discutem. Que seu casamento é praticamente perfeito.

Em vez de telefonar para a polícia, ele volta à cozinha, onde Karen mantém uma lista de telefones, e começa a ligar para as amigas dela, uma a uma.

Ao observar os destroços à sua frente, o agente policial Kirton meneia a cabeça, resignado. Pessoas e carros. Ele já vira coisas que o fizeram vomitar no ato. Dessa vez, não foi tão ruim.

Não havia nenhum documento de identificação com a vítima, uma mulher que aparentava estar na casa dos 30 anos. Sem bolsa nem carteira. Mas o documento do carro estava no porta-luvas. O carro está registrado no nome de Karen Krupp, moradora da Dogwood Drive, número 24. Ela terá de se explicar. Será indiciada. Por ora, foi levada de ambulância para o hospital mais próximo.

Pelo que o agente imagina, e de acordo com testemunhas, ela estava dirigindo de forma alucinada. Avançou um sinal vermelho, e seu Honda Civic vermelho foi com tudo num poste. É um milagre que mais ninguém tenha se ferido.

Ela provavelmente estava drogada, pensa Kirton. Eles iriam fazer um exame toxicológico.

Ele se pergunta se o carro era roubado. Fácil descobrir.

O problema é que ela não parecia ser nem ladra nem viciada. Parecia ser uma dona de casa. Até onde era possível dizer em meio a todo aquele sangue.

Tom Krupp telefonou para as pessoas com quem sabe que Karen mais se encontra. Ninguém sabe onde ela está, ele não vai mais esperar. Vai ligar para a polícia.

As mãos tremem quando pega o telefone de novo. Está apavorado.

Uma voz irrompe do outro lado da linha:

— Aqui é da polícia. De onde você está falando?

Assim que abre a porta e vê o policial na varanda, com a expressão séria, Tom sabe que algo grave aconteceu. Está tão apavorado que fica até enjoado.

— Agente Fleming — apresenta-se o policial, mostrando o distintivo. — Posso entrar? — pergunta, de maneira respeitosa, a voz baixa.

— Como chegou aqui tão rápido? — admira-se Tom. — Acabei de ligar para a polícia. — Ele se sente muito mal, como se estivesse quase em estado de choque.

— Não estou aqui por causa de nenhum telefonema.

Tom o conduz à sala e desaba no sofá branco como se as pernas lhe faltassem, sem olhar para o rosto do policial. Quer protelar o máximo possível o momento da verdade.

Mas o momento chega. Ele se dá conta de que mal consegue respirar.

— Abaixe a cabeça — sugere o policial, pondo a mão no ombro de Tom.

Tom abaixa a cabeça, acha que vai desmaiar. Teme que seu mundo esteja prestes a acabar. Depois de alguns instantes, ergue os olhos. Não faz ideia do que irá ouvir em seguida, mas sabe que não deve ser coisa boa.

Capítulo Dois

Os TRÊS MENINOS — dois de 13 anos, um de 14, o bigode começando a despontar — estão acostumados a não ter regras. As crianças crescem rápido nessa parte da cidade. Não passam a noite na frente do computador fazendo o dever de casa ou ficam deitadas na cama. Estão na rua, correndo atrás de problemas. E parece que os encontraram.

— Ei — diz um deles, parando de repente no vão da porta do restaurante abandonado onde eles às vezes fumam maconha, quando têm.

Os outros dois se aproximam, olhando para a escuridão.

— O que é aquilo?

— Acho que é um cara morto.

— Não me diga, Sherlock.

Subitamente alertas, os três estacam no lugar, temendo que ainda haja alguém ali. Mas logo se dão conta de que estão sozinhos.

Aliviado, um dos mais novos solta um riso nervoso.

— Achei que a gente estivesse interrompendo alguma coisa.

Eles avançam, curiosos, observando o corpo no chão. É um homem, caído de costas no chão, com tiros no rosto e no peito. A camisa de cor clara está encharcada de sangue. Nenhum deles se mostra nem um pouco abalado.

— Será que deixaram alguma coisa? — pergunta o mais velho.

— Duvido.

O mais velho enfia a mão num dos bolsos da calça do morto e encontra uma carteira. Ele a abre.

— Demos sorte — anuncia com um sorriso, mostrando o interior.

Há muito dinheiro na carteira, mas no escuro é difícil saber quanto. Ele acha um celular no outro bolso.

— Peguem o relógio e o que mais tiver aí — pede ele aos outros enquanto corre os olhos pelo chão, à procura de uma arma.

Seria ótimo encontrar uma arma, mas ele não vê nada.

Um dos meninos mais novos pega o relógio. O outro tira, com dificuldade, um pesado anel de ouro do dedo do cadáver, guardando-o no bolso de sua calça jeans. Depois tateia o pescoço para ver se acha um colar. Não há.

— Peguem o cinto — ordena o mais velho. — E os sapatos também.

Eles já haviam roubado antes, embora nunca de um morto. Estão eufóricos, com a respiração ofegante. Como se tivessem cruzado algum tipo de limite.

O garoto mais velho, evidentemente o líder, diz:

— Precisamos dar o fora daqui. E vocês não podem contar nada para ninguém.

Os outros dois olham para o mais alto, assentindo em silêncio.

— Nada de ficar se gabando disso por aí. Entenderam? — insiste o mais velho.

Eles assentem mais uma vez.

— Se alguém perguntar, nunca estivemos aqui. Vamos embora.

Os três meninos saem apressados do restaurante abandonado, levando os pertences do morto.

Pelo tom de voz do policial, por sua fisionomia, Tom sabe que a notícia que vai ouvir é muito ruim. Policiais precisam dar notícias trágicas todos os dias. Agora é a vez dele. Mas Tom não quer saber. Quer recomeçar a noite do zero: saltar do carro, subir as escadinhas da varanda e encontrar Karen na cozinha, preparando o jantar. Quer abraçá-la e sentir seu cheiro. Quer que tudo seja como sempre foi. Se ele não tivesse chegado tão tarde, talvez fosse mesmo. Talvez tudo seja culpa dele.

— Houve um acidente — anuncia o agente Fleming, a voz séria, os olhos solidários.

Ele sabia. Sente-se entorpecido.

— O carro da sua mulher é um Honda Civic? — pergunta o policial.

Tom não responde. Isso não pode estar acontecendo.

O policial lê a placa do carro.

— É — assente Tom. — É o carro dela.

A voz sai estranha, como se viesse de outro lugar. Ele encara o policial. O tempo parece ter parado. Ele vai dizer agora. Vai dizer que Karen morreu.

Com tato e profissionalismo, o agente Fleming diz:

— Ela se machucou. Ainda não sabemos a gravidade do quadro dela. Está no hospital.

Tom leva as mãos ao rosto. Ela não está morta! Mas está ferida. Ele sente uma esperança agoniada de que talvez não seja tão grave. Quem sabe tudo ficará bem. Afasta as mãos do rosto, respira fundo e, com a voz trêmula, pergunta:

— O que aconteceu?

— O acidente não envolveu nenhum outro veículo — esclarece o agente Fleming. — Ela bateu num poste, colisão frontal.

— O quê? — surpreende-se Tom. — Como ela pode ter batido num poste do nada? Karen dirige muito bem. Nunca bateu com o carro. Deve ter sido culpa de outra pessoa.

Tom nota a fisionomia circunspecta do policial. O que será que ele não está dizendo?

— A motorista não tinha nenhum documento de identificação — observa Fleming.

— Ela deixou a bolsa aqui. E o celular.

Tom esfrega as mãos no rosto, tentando manter a calma.

Fleming inclina a cabeça para o lado.

— Está tudo bem entre o senhor e a sua esposa?

Tom o encara, perplexo.

— Claro que sim.

— Não houve nenhuma briga e as coisas saíram do controle?

— Não! Eu não estava nem em casa.

O agente Fleming se senta na poltrona, de frente para ele.

— As circunstâncias... Bem, é possível que a mulher que estava dirigindo o carro e sofreu o acidente não seja a sua esposa.

— O quê? — sobressalta-se Tom. — Por quê? Como assim?

— A motorista não tinha nenhum documento de identificação. Por enquanto, não temos certeza de que era a sua mulher que estava dirigindo; só sabemos que é o carro dela.

Tom fica mudo, incapaz de dizer qualquer coisa.

— O acidente aconteceu no extremo sul da cidade, no cruzamento da Prospect com a Davis Drive — observa o agente Fleming, encarando-o de maneira sugestiva.

— Não pode ser — diz Tom.

Essa é uma das piores partes da cidade. Karen jamais se meteria naquela região nem em plena luz do dia, muito menos à noite.

— O senhor imagina por que a sua esposa estaria dirigindo de forma imprudente, acima do limite de velocidade e ultrapassando sinais vermelhos, nessa parte da cidade?

— O quê? Como assim? — Tom encara o policial, incrédulo. — Karen nem *iria* para essa parte da cidade. *Nunca* ultrapassa o limite de velocidade, *nunca* avançaria um sinal vermelho. — Ele se encolhe no sofá, sente uma onda de alívio. — Não é a minha mulher — afirma, com segurança. Conhece Karen e sabe que ela jamais faria algo assim. Quase sorri. — É outra pessoa. Alguém deve ter roubado o carro dela. Graças a Deus!

Ele se vira para o policial, que continua observando-o com preocupação no olhar. A ficha cai, e o pânico volta imediatamente.

— Então onde ela está?

Capítulo Três

— Preciso que o senhor venha comigo até o hospital — diz o agente Fleming.

Tom não está conseguindo acompanhar direito os acontecimentos. Ergue os olhos.

— Desculpe, o que você disse?

— Preciso que o senhor venha comigo até o hospital. Precisamos saber se a mulher que foi internada é a sua esposa ou não. E, se não for, precisamos encontrá-la. — Ele faz uma pausa. — O senhor telefonou para a central de emergência porque estava preocupado com ela, não foi?

Tom faz um aceno rápido com a cabeça, agora compreendendo.

— Sim.

Ele pega a carteira e a chave — suas mãos estão tremendo — e acompanha o policial até a viatura estacionada. Tom entra no carro e se senta no banco de trás. Quando o veículo se põe em movimento, ele se pergunta se algum vizinho está vendo aquilo. Por um instante, pensa na impressão que a cena deve estar passando às pessoas, ele sentado no banco de trás de uma viatura.

Quando chegam ao Hospital Mercy, Tom e o agente Fleming seguem pela entrada da emergência. A sala de espera está cheia, barulhenta. Tom fica andando de um lado para o outro enquanto o agente Fleming tenta encontrar alguém que possa lhes informar onde a mulher acidentada está. Enquanto aguarda, Tom sente a ansiedade aumentar. Quase todas as cadeiras estão ocupadas, e há pacientes deitados em macas no corredor. Policiais e técnicos ambulatórios entram e saem. A equipe do hospital trabalha no automático, atrás do vidro de segurança. Televisores grandes, pendurados em suportes que pendem do teto, exibem vídeos maçantes de saúde pública.

Tom não sabe pelo que torcer. Não quer que a mulher machucada seja Karen. Ela pode estar gravemente ferida. Não consegue nem imaginar a ideia. Por outro lado, não saber onde ela está, temer o pior... *O que foi que aconteceu essa noite? Onde ela está?*

Por fim, Fleming o chama do outro lado da sala de espera lotada da emergência. Tom se aproxima. Há uma enfermeira ao lado do agente. Com delicadeza, olhando para Tom, depois para o policial, ela diz:

— Sinto muito. Estão fazendo uma ressonância magnética na paciente. Vocês terão de aguardar. Não deve demorar muito.

— Precisamos identificar essa mulher — insiste Fleming.

— Não posso interromper a ressonância — insiste a enfermeira. Ela volta os olhos generosos para Tom. — Estamos com as roupas que ela estava vestindo quando chegou. Posso mostrá-la ao senhor, se quiser.

— Seria ótimo — responde Fleming, também olhando para Tom.

Tom assente.

— Queiram me acompanhar.

A enfermeira os conduz por um corredor comprido, a uma sala com vários armários abarrotados, que ela revira até encontrar um saco plástico transparente etiquetado. Ela o pega e o coloca em cima da mesa de aço. Os olhos de Tom imediatamente se fixam no conteúdo do saco plástico. Ali dentro, há uma blusa estampada que ele reconhece imediatamente. Sente o estômago embrulhar. Karen estava usando aquela blusa de manhã, quando ele saiu para trabalhar.

— Preciso me sentar — diz Tom.

O agente Fleming puxa uma cadeira, e Tom desaba nela, fitando o saco plástico que contém a roupa da esposa. A enfermeira, agora com luvas de borracha, tira o material do saco plástico. A blusa estampada, uma calça jeans, um par de tênis de corrida. Há sangue na blusa e na calça. Tom sente o vômito lhe subir à garganta, mas o engole de volta. O sutiã e a calcinha também estão sujos de sangue. Num saquinho plástico à parte, estão a aliança e um colar de ouro com pingente de diamante que ele deu para ela no primeiro aniversário de casamento deles.

Ele volta os olhos incrédulos para o policial e, com a voz embargada, afirma:

— É dela.

Fleming retorna à delegacia e encontra o agente Kirton no refeitório, pouco depois. Eles pegam café e procuram um lugar para se sentar.

— Então o veículo não foi roubado — diz Kirton. — A mulher estava dirigindo o próprio carro daquele jeito. Nossa!

— Não faz muito sentido.

— Ela devia estar bem chapada.

Fleming toma um gole do café.

— O marido está em choque. Quando soube onde tinha sido o acidente e como aconteceu, não acreditou que fosse a esposa. Quase me convenceu de que era outra pessoa. — Fleming balança a cabeça. — Ficou desorientado quando reconheceu as roupas dela.

— É, bem, muitas donas de casa são viciadas, e os maridos não sabem — observa Kirton. — Talvez por isso ela estivesse naquela parte da cidade. Aí se drogou, ficou chapada e perdeu o controle do carro.

— Pode ser. — Fleming se detém, tomando outro gole do café. — Não dá para confiar em ninguém.

Ele sente pena do marido da vítima, que parecia ter levado um soco no estômago. Em seus anos de polícia, Fleming já viu inúmeras coisas e sabe muito bem que as pessoas de quem menos desconfiamos podem esconder sérios problemas com drogas. E também condutas duvidosas para manter esses hábitos. Muita gente guarda segredos escabrosos. Fleming dá de ombros.

— Quando a gente puder conversar com a mulher, talvez ela conte o que raios aconteceu. — Ele termina o café. — Tenho certeza de que o marido também quer saber.

Ainda na sala de espera da emergência, Tom aguarda andando de um lado para o outro. Tenta se lembrar se havia alguma coisa diferente, algo fora do comum no comportamento da esposa nos últimos dias. Não consegue pensar em nada, mas, também, tem andado muito ocupado no trabalho. Será que ele deixou escapar algum sinal?

O que ela estava fazendo naquela parte da cidade? *E dirigindo acima do limite de velocidade?* O que o policial disse que ela havia feito era tão absurdo que ele mal consegue acreditar. Mas, no entanto... é ela que está ali, sendo examinada pelos médicos. Assim que puder falar com ela, Tom vai perguntar. Depois de dizer que a ama muito.

Não consegue deixar de pensar que, se tivesse chegado mais cedo, como deveria, em vez de...

— Tom!

Ao ouvir seu nome, ele se vira. Telefonou para o irmão, Dan, assim que chegou ao hospital, e agora Dan se aproxima, o rosto jovem tomado de preocupação. Tom nunca se sentiu tão grato por ver alguém.

— Dan — murmura, aliviado.

Os dois se abraçam e se sentam nas duras cadeiras de plástico, um de frente para o outro, longe das outras pessoas. Tom conta o que aconteceu. É estranho buscar o apoio do irmão caçula. Normalmente é o contrário.

— Tom Krupp — chama alguém, em meio ao tumulto da sala de espera.

Ele se levanta de imediato, dirigindo-se ao homem de jaleco branco, com Dan em seu encalço.

— Sou eu — balbucia, apreensivo.

— Sou o Dr. Fulton, o médico da sua esposa — diz o médico, de modo mais para o seco do que para o amigável. — Ela sofreu um traumatismo craniano. Fizemos uma ressonância magnética. Ela teve uma concussão forte, mas não há sangramento no cérebro. Ela deu sorte. Os outros ferimentos são relativamente menos sérios. Nariz quebrado. Hematomas e lacerações. Mas ela vai se recuperar.

— Graças a Deus! — exclama Tom, aliviado.

Ele se volta para o irmão com os olhos cheios de lágrimas. Só agora se dá conta de como esteve se segurando.

O médico o encara.

— O cinto de segurança e o *air bag* salvaram a vida dela. Sua esposa vai se sentir dolorida por um período, vai sentir muita dor de cabeça, mas, com o tempo, deve ficar bem. Vai precisar pegar leve. A enfermeira vai explicar como cuidar da concussão.

Tom assente.

— Quando posso vê-la?

— Já pode, se quiser — responde o médico. — Só você, por enquanto, mas não demore. Ela foi transferida para o quarto andar.

— Espero você aqui — diz Dan.

Ante a ideia de ver Karen, Tom sente a ansiedade voltar.

Capítulo Quatro

KAREN NÃO CONSEGUE SE MEXER. Ela recupera e perde a consciência o tempo todo. Com a crescente percepção da dor, ela solta um gemido.

Faz um esforço enorme para abrir os olhos — parece algo sobre-humano — até, aos poucos, conseguir. Há tubos saindo de seus braços. Ela está ligeiramente inclinada, e a cama tem grades laterais de metal. O lençol é branco, algo padrão, institucional. Ela logo compreende que está num leito hospitalar e sente o medo dominá-la. Vira a cabeça de leve e sente uma dor lancinante. Retrai o corpo, e o quarto começa a girar. Uma mulher, obviamente uma enfermeira, surge diante de seus olhos embaçados.

Karen tenta se concentrar, mas se dá conta de que não consegue. Tenta falar, mas não é capaz de mexer os lábios. Tudo é difícil, como se algo pesasse sobre ela. Pisca os olhos. Agora são duas enfermeiras. Não, apenas uma. Ela está vendo tudo em dobro.

— Você sofreu um acidente de carro — murmura a enfermeira. — Seu marido está lá fora. Vou chamá-lo. Ele vai ficar muito feliz de ver você.

A enfermeira sai do quarto.

Tom, pensa Karen, grata por aquela presença. Passa a língua pelo interior da boca. Está com muita sede. Precisa de água. A língua parece inchada. Há quanto tempo ela está ali? Quanto tempo continuará imobilizada assim? Seu corpo inteiro dói, mas o pior é a cabeça.

A enfermeira volta ao quarto, trazendo o marido da vítima como se lhe entregasse um presente. A visão está menos embaçada agora. Tom parece apreensivo, cansado, com a barba por fazer, como se tivesse passado a noite acordado. No entanto, os olhos dele lhe transmitem segurança. Karen quer sorrir, mas não consegue.

Ele se aproxima, fitando-a com ternura.

— Karen! — murmura, segurando a mão dela. — Graças a Deus você está bem.

Ela tenta falar, mas tudo o que sai é um soluço rouco. A enfermeira imediatamente aproxima de sua boca um copo de plástico com canudo flexível para que ela possa beber água. Karen toma a água com avidez. Quando termina, a enfermeira leva o copo.

Tenta falar de novo. É um esforço enorme, então desiste.

— Está tudo bem — o marido a tranquiliza. Ele ergue a mão como se fosse afastar o cabelo dela da testa, um gesto habitual, mas deixa a mão cair sem jeito. — Você sofreu um acidente. Mas vai ficar bem. Estou aqui. — Ele olha dentro dos olhos dela. — Eu amo você, Karen.

Ela tenta levantar a cabeça apenas um pouco, mas sente uma dor aguda, tontura e enjoo. Ouve outra pessoa entrar no quarto. Outro homem, mais alto e magro do que o marido, quase cadavérico, usando um jaleco branco, com um estetoscópio pendurado no pescoço. Ele se aproxima da cama e olha para ela. O marido solta sua mão e se afasta, abrindo espaço para o outro homem.

O médico se debruça sobre ela e, com uma lanterna clínica, examina seus olhos, um de cada vez. Parece animado ao guardar o instrumento no bolso.

— Você sofreu uma concussão grave — informa —, mas vai ficar bem.

Ela enfim encontra voz para falar. Encara o marido aflito, desgrenhado, ao lado do médico de jaleco branco e sussurra:

— Tom.

* * *

O coração de Tom transborda de amor quando ele vê a esposa. Os dois estão casados há dois anos. Aqueles são os lábios que ele beija toda manhã e toda noite. As mãos dela lhe são tão familiares quanto as dele próprio. Neste momento, os encantadores olhos azuis de Karen, cercados de hematomas, parecem cheios de dor.

— Karen — murmura ele, inclinando-se sobre ela. — O que aconteceu?

Ela o encara, confusa.

Ele insiste, precisa saber. A voz exala urgência.

— Por que você saiu de casa com tanta pressa? Aonde estava indo?

Ela começa a balançar a cabeça, mas para e fecha os olhos por um instante. Quando volta a abri-los, consegue sussurrar:

— Não sei.

Tom a fita, alarmado.

— Você tem que saber. Bateu com o carro. Estava correndo e deu de frente com um poste.

— Não me lembro — responde ela, devagar, como se dar aquela resposta demandasse toda a energia que lhe resta. Seus olhos, que encaram os dele, parecem assustados.

— É importante — insiste Tom, já quase desesperado, chegando ainda mais perto dela.

Ela se encolhe no travesseiro, e o médico intervém.

— Agora vamos deixar você descansar.

Ele sussurra alguma coisa para a enfermeira e chama Tom, que o acompanha para fora do quarto, lançando um último olhar para a esposa no leito. *Deve ser o trauma na cabeça*, pensa, preocupado. *Talvez seja pior do que imaginamos.*

Com a mente a mil, Tom acompanha o Dr. Fulton pelo corredor. Faz-se um silêncio terrível; ele se lembra de que é madrugada. O médico encontra um cômodo desocupado para eles, logo depois do posto de enfermagem.

— Sente-se — pede ele, acomodando-se numa cadeira.

— Por que ela não se lembra do que aconteceu? — pergunta Tom, agitado.

— Sente-se — repete o Dr. Fulton, com firmeza. — Tente se acalmar.

— Tudo bem — responde Tom, ocupando a única outra cadeira do cômodo apertado.

Mas ele tem dificuldade para se acalmar.

— É comum que pacientes com traumatismo craniano tenham um período de amnésia retrógrada — explica o médico.

— Como assim?

— Depois de um trauma físico na cabeça, ou mesmo de um trauma emocional, o paciente pode perder por um tempo a memória do que se passou logo antes do acidente. A perda de memória pode ser branda ou mais intensa. Em geral, quando há traumatismo craniano, o que temos é outro tipo de amnésia: perda da memória de curto prazo, do que aconteceu depois do acidente. Você provavelmente vai notar isso também, por um tempo. Mas às vezes pode ser retrógrada e mais abrangente. Acho que é o que estamos vendo aqui.

O médico não parece muito preocupado. Tom tenta se convencer de que isso deveria tranquilizá-lo.

— Ela vai recuperar a memória?

— Ah, com certeza — responde o médico. — Você só precisa ter paciência.

— Existe alguma coisa que possamos fazer para ajudá-la a se lembrar de tudo mais rápido?

Ele está desesperado para saber o que aconteceu.

— Não. Ela precisa descansar. O cérebro precisa se recuperar. Essas coisas levam tempo.

O *pager* do médico toca. Ele confere o aparelho, pede licença e deixa Tom sozinho com suas dúvidas.

Capítulo Cinco

NA MANHÃ SEGUINTE, Brigid Cruikshank, amiga próxima e vizinha de Karen, está na sala de espera do quarto andar do Hospital Mercy, com o tricô no colo, puxando a lã amarela de uma bolsa de pano a seus pés. A sala, iluminada pelos janelões que dão vista para o estacionamento lotado, não fica longe dos elevadores. Ela está fazendo um casaquinho de bebê, mas erra os pontos, está cada vez mais irritada com aquilo e ciente de que, na verdade, não é com o casaquinho que está irritada.

Ela avista Tom — de calça jeans e camiseta, alto e esguio, o cabelo todo bagunçado — dirigindo-se aos elevadores. Parece surpreso ao vê-la. Talvez não esteja tão contente de encontrá-la ali. Isso não é nenhuma surpresa para ela; talvez ele e Karen queiram privacidade. Algumas pessoas são assim.

Mas ela precisa saber o que está acontecendo, e, por isso, não desvia o olhar de Tom até que, por fim, ele se aproxima.

Brigid olha para ele com preocupação.

— Tom. Que bom ver você! Tentei ligar. Sinto muito que...

— É — corta ele, sentando-se ao lado dela, os cotovelos apoiados nos joelhos.

Ele está péssimo, parece que não dormiu nada nas últimas 24 horas. Provavelmente não pregou os olhos mesmo.

— Fiquei preocupada — diz ela.

Tom havia telefonado duas vezes na noite anterior, a primeira para saber se ela tinha ideia de onde Karen estava; a segunda, mais tarde, do hospital, para dizer que a esposa havia sofrido um acidente. Mas o telefonema fora breve, ele desligara abruptamente, sem contar nenhum detalhe. Agora ela está desesperada para saber o que houve. Quer ouvir tudo.

— O que aconteceu?

O rosto está virado para a frente, e ele não olha para ela.

— Ela bateu com o carro num poste.

— O quê?

Ele assente devagar, como se estivesse extremamente cansado.

— A polícia disse que ela estava correndo, que avançou o sinal e acabou batendo num poste.

Brigid o encara.

— Você perguntou para ela o que aconteceu?

Ele se vira para Brigid agora, e ela vê uma espécie de impotência em seus olhos.

— Perguntei, mas ela não se lembra. Nem do acidente nem do que aconteceu antes — responde Tom. — Não se lembra de nada da noite passada.

— Sério?

— Sério — afirma Tom. — O médico disse que é normal depois de um trauma como o dela.

Brigid volta os olhos para o tricô.

— Mas... ela vai recuperar a memória?

— O médico acha que sim. Espero que sim. Porque certamente quero saber o que ela estava fazendo. — Ele hesita, como se não soubesse se deveria comentar mais alguma coisa com Brigid ou não. Então acrescenta: — Ela saiu sem levar a bolsa e se esqueceu de trancar a porta. Parecia que estava com pressa.

— Mas que esquisito — comenta Brigid. Ela se mantém em silêncio por alguns instantes. Por fim, diz: — Tenho certeza de que ela vai ficar bem.

Aquele comentário soa tão inadequado! Mas Tom não parece notar e solta um suspiro.

— Agora preciso lidar com a polícia.

— Polícia? — surpreende-se Brigid, encarando-o mais uma vez. Ela nota rugas no rosto dele, rugas que não havia percebido antes.

— Estão investigando o acidente — explica Tom. — É provável que ela seja indiciada por alguma coisa.

— Ah! — exclama Brigid, deixando o tricô de lado. — Sinto muito, Tom. Você não precisava mesmo de uma coisa dessas, não é?

— Não.

A voz dela se abranda.

— Se você precisar de alguma coisa, saiba que estou aqui. Por vocês dois.

— Claro — diz ele. — Obrigado. — Tom se levanta. — Vou tomar um café. Quer um também?

Ela balança a cabeça.

— Não, obrigada. Mas será que você pode avisar a Karen que estou aqui?

— Aviso, sim. Mas acho que você vai esperar à toa. Acredito que ela não vá querer receber ninguém hoje. Está com muita dor e tomando analgésicos fortes. Ela está meio grogue. Acho melhor você ir para casa.

— Vou esperar mais um pouco, só por via das dúvidas — diz Brigid, voltando a pegar o tricô.

Quando Tom segue na direção dos elevadores, ela tira os olhos do tricô para observá-lo. Não acredita que Karen não queira vê-la, nem que seja só por um minutinho. Não irá demorar muito. Quando Tom entra no elevador e a porta se fecha, Brigid pega suas coisas e se dirige ao quarto 421.

Karen mexe as pernas, inquieta sob o lençol branco. Está sentada, recostada no travesseiro. Agora de manhã, já se sente um pouco melhor, vê-se raciocinando e falando com mais clareza. Fica se perguntando quanto tempo ainda permanecerá ali.

Ouve leves batidas na porta entreaberta e abre um sorriso frouxo.

— Brigid! — exclama. — Entre.

— Posso? — pergunta Brigid num murmúrio, aproximando-se da cama. — O Tom disse que talvez você não quisesse me receber.

— Por que o Tom diria isso? Claro que estou feliz em ver você! Venha, sente-se aqui — convida, dando tapinhas na cama.

— Nossa, quantas flores!

— São todas do Tom. Ele quer me afogar num mar de rosas.

— Estou vendo — assente Brigid, sentando-se na beira da cama. Ela observa Karen. — Você está péssima.

— Estou? Não me deixam nem chegar perto do espelho. Estou me sentindo um Frankenstein.

A brincadeira é uma tentativa de afastar o medo que ela vem sentindo desde que soube que sofreu um acidente, um acidente do qual não se lembra. Karen está feliz em ver Brigid, sua melhor amiga. É uma distração e um alívio para essa ansiedade monstruosa. Traz uma sensação de normalidade, num momento em que quase nada parece normal.

Ela não sabe o que aconteceu na noite passada. Mas sabe que o que quer que tenha sido foi apavorante e ainda a ameaça. Não saber do que se trata está deixando-a louca. Ela não sabe o que fazer.

— Graças a Deus você vai ficar bem, Karen. Fiquei muito preocupada.

— Eu sei. Desculpe.

— Não se desculpe. Você sofreu um acidente. Não é culpa sua.

Karen fica imaginando o que Brigid sabe, o que Tom contou a ela. Provavelmente não muito. Ela acha que o marido nunca gostou muito de Brigid e não sabe por quê. Os dois nunca estabeleceram nenhum laço sequer, o que às vezes fazia com que certas situações ficassem um tanto desconfortáveis.

— É horrível, Brigid — confidencia Karen, hesitante. — Não me lembro do que aconteceu. O Tom disse que eu estava dirigindo feito louca, correndo, fica me perguntando...

Neste momento, Tom entra no quarto, trazendo dois cafés em copos de papel. Karen o vê conter a irritação por encontrar Brigid sentada na cama, mas ele não a engana. Ela sente a temperatura do quarto cair. Tom entrega um café a Karen.

— Oi, Brigid — cumprimenta ele, de maneira casual.

— Oi — responde Brigid, voltando rapidamente os olhos para ele, então se virando para Karen. — Eu só queria ver você, ter certeza de que está bem. — Ela se levanta. — Já estou indo, vou deixar vocês dois sozinhos.

— Não precisa ir embora — protesta Karen.

— Você precisa descansar — argumenta Brigid. — Volto amanhã, está bem?

Ela sorri para Tom e sai do quarto.

Aborrecida, Karen pergunta:

— Por que você detesta tanto a Brigid, hein?

— Eu não detesto a Brigid.

— Jura? Está na sua cara que não gostou de vê-la aqui.

— Só estou tentando cuidar de você — protesta Tom. — Sabemos o que o médico disse. Você precisa descansar.

Ela o encara, sem acreditar de fato nele.

À tarde, quando Tom vai para casa tomar banho e mudar de roupa, o Dr. Fulton retorna ao quarto. Karen se lembra dele, da noite anterior.

— Como você está? — pergunta o médico.

Felizmente, ele mantém a voz baixa. A dor de cabeça piorou com o passar do dia.

— Não sei — responde ela. — O senhor é quem pode me dizer.

Ele abre um sorriso profissional.

— Acho que você vai ficar bem. Tirando a concussão, não sofreu nada grave. — Ele se põe à rotina de examinar os olhos dela com a lanterna clínica, enquanto continua conversando. — Minha única preocupação é você não se lembrar do acidente, mas isso não é tão incomum. Sua memória com certeza voltará com o tempo.

— Então o senhor já viu isso acontecer antes... a pessoa perder a memória?

— Já.

— E a memória sempre volta?

— Nem sempre — responde ele, medindo a pressão dela.

— Mas normalmente volta?

— Em geral, sim.

— Quanto tempo leva? — pergunta ela, apreensiva.

Precisa ser logo. Ela precisa saber exatamente o que aconteceu.

— Depende. Pode levar dias ou semanas. Cada caso é um caso. — Ele confere algo na ficha e pergunta: — Como está a dor?

— Suportável.

Ele assente.

— Vai melhorar. Vamos deixá-la em observação por mais um ou dois dias. Você vai precisar pegar leve quando voltar para casa. Vou passar uma receita para você pegar alguns remédios aqui na farmácia do hospital antes de ir embora. E já expliquei ao seu marido como cuidar da concussão.

— Existe alguma coisa que eu possa fazer para recuperar a memória? — pergunta ela.

— Não. — Ele abre um sorriso. — Dê tempo ao tempo.

Então o médico a deixa sozinha com seu pânico crescente.

Mais tarde, uma nova enfermeira aparece. Ela é tranquila, simpática e age como se estivesse tudo bem. Mas não está.

— Você poderia me trazer um espelho? — pede Karen.

— Claro, vou pegar.

A enfermeira volta com um espelho de mão.

— Não se assuste com o que você vai ver — adverte. — Você está com alguns hematomas, seu rosto está inchado, mas nada que não vá melhorar. Não é tão ruim quanto parece.

Karen pega o espelho com receio. Fica atônita ao perceber que está quase irreconhecível. Seu rosto normalmente bonito agora está desfigurado pelo inchaço medonho e pelos hematomas escuros. Mas são os olhos aturdidos, assustados, que mais a incomodam. Ela devolve o espelho à enfermeira sem dizer nada.

* * *

Mais tarde naquela noite, dois adolescentes caminham de mãos dadas, voltando para casa depois de sair do cinema. É uma caminhada longa, mas a noite está linda; eles querem continuar juntos, mas não têm aonde ir. Por fim ele a imprensa contra uma parede nos fundos de um centro comercial e a beija. Ele é mais velho do que ela e age com calma, ao contrário de alguns garotos que se atrapalham na pressa, sem saber o que estão fazendo. Ela curte o beijo.

Eles ouvem um barulho no contêiner de lixo e se afastam um do outro. O funcionário de um restaurante, jogando sobras no contêiner, olha para o casal. O jovem a abraça, protegendo-a.

— Venha — diz ele, segurando a mão dela. — Sei de um lugar.

O corpo dela treme de excitação. Ela poderia ter ficado beijando--o daquele jeito para sempre. Quer ficar sozinha com ele, mas... se detém.

— Aonde a gente vai?

— Para um lugar onde vamos ter privacidade. — Ele a puxa para perto. — Se você quiser. — Beija-a novamente. — Ou posso levar você para casa.

Naquele momento, ela iria com ele a qualquer lugar. Dá a mão ao rapaz, e os dois atravessam a rua, mas a garota mal nota para onde está indo. Só tem consciência da mão dele, de seu próprio desejo. Os dois se aproximam de uma porta, que ele abre, inclinando a cabeça para ela.

— Venha. Está tudo bem. Não tem ninguém aqui.

Ela atravessa o vão da porta, e ele rapidamente a abraça. Beija-a de novo, mas tem algo que a incomoda. O cheiro. Ela se afasta, e ele também parece sentir. Os dois o avistam ao mesmo tempo: um corpo no chão, sujo de sangue.

Ela solta um grito. Ele cobre sua boca com a mão, calando-a.

— Psiu, fique quieta!

Ela para de gritar e, horrorizada, fita o corpo caído no chão. Ele afasta a mão de sua boca, e ela sussurra:

— Está morto?

— Deve estar.

Ele se aproxima do corpo, olha bem para o homem. Ela não se atreve a chegar mais perto. Acha que vai vomitar.

A jovem dá meia-volta e sai correndo daquele lugar, detendo-se ali fora, ofegante. Ele surge em seu encalço. Ela volta os olhos para o rapaz, aflita, e diz:

— Precisamos chamar a polícia.

Mas é a última coisa que ela quer fazer. Disse à mãe que estava com uma amiga.

— Não. Vamos deixar que outra pessoa o encontre e chame a polícia. Não precisa ser a gente.

Ela sabe no que ele está pensando, qual é o seu receio. Ela só tem 15 anos, enquanto ele tem 18.

— Seria outra história se o cara ainda estivesse vivo — argumenta o rapaz. — Mas não podemos fazer nada por ele. Vamos embora. Alguém vai encontrá-lo.

A jovem acha isso errado, mas fica aliviada de ouvi-lo sugerir isso. Então concorda.

— Tudo bem. — Desviando os olhos, murmura: — Acho que quero ir para casa.

Capítulo Seis

COMO COSTUMA FAZER todas as manhãs, Brigid se senta em sua poltrona preferida, perto da enorme janela da sala, olhando lá para fora. Sua casa fica em frente à casa de Tom e Karen. Ela aguarda com uma xícara de café, atenta para ver quando Tom sairá para o hospital.

Seu marido, Bob, aparece na sala para se despedir. Está indo para o trabalho.

— Vou voltar tarde hoje — avisa. — Talvez não consiga chegar a tempo de jantar em casa. Devo comer alguma coisa na rua.

Ela não responde: está absorta em pensamentos.

— Brigid?

— Oi? — diz ela, virando-se para ele.

— Falei que vou voltar tarde para casa hoje. Temos um velório à noite.

— Tudo bem — responde ela, distraída.

— O que você vai fazer hoje?

— Vou ao hospital ver a Karen de novo.

Talvez hoje elas consigam passar mais tempo juntas.

— Bom... que bom — diz Bob.

Ele fica parado no vão da porta por um momento, hesitante, e então sai.

Brigid sabe que Bob se preocupa com ela.

Ele não se importa de fato com o que ela faz durante o dia. Só não acha que lhe faça bem ter tempo livre demais. Só quer que ela continue indo às consultas. Por isso ela sempre diz que vai.

Já foi um acidente estranho, para começo de conversa, considera Fleming: a motorista, uma suposta dona de casa respeitável, na parte errada da cidade, sem drogas ou bebida para explicar seu comportamento. E agora, ainda por cima, o médico vem dizer que ela está com amnésia.

Você só pode estar brincando, pensa Fleming.

— Que conveniente — avalia o agente Kirton, ao seu lado.

Eles se detêm por um instante do lado de fora do quarto de Karen Krupp. Fleming encara o médico.

— Ela poderia estar fingindo? — pergunta, em voz baixa.

O Dr. Fulton olha bem para ele, surpreso, como se isso não tivesse lhe ocorrido.

— Acho que não — responde. — Ela tem uma concussão séria.

Fleming assente, pensativo. Os três entram no pequeno quarto particular. O marido de Karen Krupp já está sentado na única poltrona. O quarto é apertado para tanta gente. Karen Krupp, machucada, cheia de hematomas, observa-os com desconfiança.

— Sra. Krupp — começa o policial. — Sou o agente Fleming, e esse é o agente Kirton. Gostaríamos de lhe fazer algumas perguntas.

Ela se senta na cama, recostada no travesseiro. Tom Krupp se endireita, nervoso.

— Claro — responde ela. — Bom... Não sei se o médico falou para vocês, mas ainda não me lembro de nada do acidente.

Ela franze a testa, como se pedisse desculpa.

— Já contaram à senhora o que aconteceu? — pergunta Kirton.

Ela assente, hesitante.

— Sim, mas realmente não me lembro de nada.

— É uma pena — observa Fleming. É evidente que a presença deles a incomoda, embora ela tente esconder. — O acidente aconteceu no cruzamento da Prospect com a Davis, no extremo sul da cidade. — Ele se detém. Ela olha para o policial, aflita, mas não diz nada. — A senhora mora no extremo norte. Por que acha que estaria naquela parte da cidade?

Ela balança a cabeça, encolhendo-se um pouco de dor.

— Não... não sei.

— Não tem nenhuma ideia? — insiste Fleming, com toda a calma. Como Karen não responde, ele continua. — É uma região conhecida por drogas, gangues, crimes. Não é um lugar que uma mulher do seu bairro visitaria.

Ela dá de ombros e, num murmúrio, diz:

— Desculpem...

O marido segura sua mão.

Fleming lhe entrega um papel.

— O que é isso? — pergunta ela, aflita.

— Infelizmente, é uma multa por condução imprudente. É uma infração grave no estado de Nova York.

Ela volta os olhos para o papel, morde o lábio.

— Preciso contratar um advogado? — pergunta, vacilante.

— Seria uma boa ideia. Condução imprudente é crime. Sendo condenada, a senhora teria ficha na polícia e poderia ficar um tempo presa.

Ela fica lívida. Tom Krupp parece estar prestes a vomitar. Fleming olha para Kirton. Os dois se despedem deles e vão embora.

O Dr. Fulton acompanha Fleming e Kirton para fora do quarto. Mesmo tendo uma vida corrida como médico que trabalha na emergência, ele já havia parado para se perguntar por que sua paciente estava avançando sinais vermelhos no bairro mais perigoso da cidade. Ela parece uma mulher correta. Culta, educada, está longe de ser o tipo de pessoa que faria uma coisa dessas. Evidentemente, o marido também está perplexo.

Ele observa os policiais se afastando pelo corredor, dois homens fortes de uniforme preto destacando-se em meio ao tom pastel dos enfermeiros. Por um instante, imagina se deveria chamá-los de volta. Mas o instante passa, e ele os deixa ir.

Karen Krupp estava desorientada quando a trouxeram, duas noites antes, perdendo e recuperando a consciência o tempo todo. Não sabia onde estava, não conseguia dizer nem o próprio nome. Agitada, ficava repetindo algo que ele acha que era um nome masculino. Não se lembra qual — aquela noite foi alucinante na emergência —, mas tem certeza de que o nome não era Tom. Aquilo o estava incomodando. Talvez um dos enfermeiros se lembrasse.

Ele não acha que a paciente esteja fingindo a amnésia. Desconfia de que ela quer saber tanto como o marido o que aconteceu naquela noite.

À noite — agora já faz quase 48 horas desde o acidente —, Tom vai embora do hospital, caminhando até o carro, no fim do estacionamento. Karen pareceu atormentada durante todo o tempo que passaram juntos. A visita dos policiais deixou ambos preocupados. A ideia de Karen ter uma ficha na polícia, a ideia de ficar presa, mesmo que por pouco tempo — ele andou pesquisando "condução imprudente" no Google —, é inconcebível. Ele respira fundo. Talvez a justiça seja clemente. Ele precisa ser forte. Tenta esquecer o indiciamento por ora.

No caminho até sua casa, pensa em Karen, na vida deles. Estavam tão felizes! E agora isso.

Os dois se conheceram quando ela tinha um emprego temporário na empresa onde ele é contador. A atração foi imediata. Tom mal conseguiu esperar as duas semanas de trabalho dela terminarem para convidá-la para sair. No entanto, sempre ficava desconfiado desse tipo de atração, porque já havia se enganado antes. Por isso prometeu a si mesmo que não iria se apressar para conhecê-la, o que também pareceu agradar Karen. Ela se mostrou reticente no começo. Ele deduziu que talvez ela também já tivesse sofrido uma decepção.

Mas ela não era como as outras mulheres que ele conhecia. Não fazia joguinhos. Não brincava com os sentimentos dele. Não havia nada nela que o deixasse desconfiado. Nunca houve.

Deve existir um motivo para que ela tenha feito o que fez. Karen deve ter sido enganada, atraída àquele lugar por alguém com más intenções. Vai recuperar a memória e então poderá explicar tudo.

É nítido que está assustada. Ele também está.

Estaciona o carro na entrada de casa e se arrasta pela escada da varanda até a porta. Corre os olhos pelos cômodos. A casa está uma zona. Tem louça suja na cozinha: dentro da pia, em cima da mesa. Ele come quando dá, entre as idas ao hospital.

É melhor arrumar a bagunça. Não pode deixar Karen encontrar a casa nesse estado quando voltar; ela iria detestar. Tom começa pela sala, guardando objetos, levando xícaras sujas de café para a cozinha. Passa aspirador de pó no tapete, limpa o tampo da mesinha de centro com produto especial para vidro e papel toalha. Em seguida, dedica-se à cozinha. Coloca a louça suja no lava-louça, limpa a bancada e enche a pia de água quente e detergente para lavar à mão a jarra da cafeteira. Procura as luvas de borracha que Karen usa para lavar louça, mas não as encontra. Por isso enfia as mãos na água com espuma. Quer que a esposa se concentre em se recuperar quando voltar, sem ter de se preocupar com a casa.

Karen está sozinha quando o Dr. Fulton vai vê-la pela última vez, antes de lhe dar alta. É tarde, faz silêncio, Karen está sonolenta. O médico se senta na poltrona ao lado da cama e, hesitante, diz:

— Tem uma coisa sobre a qual eu gostaria de conversar com você.

Ela nota a hesitação nos olhos dele e sente o corpo se contrair.

— Quando chegou ao hospital, você estava desorientada — começa o Dr. Fulton. — Dizendo algumas coisas.

Ela agora está nervosa, totalmente desperta.

— Você não parava de falar um nome. Lembra?

Ela se mantém imóvel.

— Não.

— Eu não me lembrava, mas uma das enfermeiras disse que você ficava falando de um tal Robert. Esse nome quer dizer alguma coisa para você? — Ele a encara, curioso.

O coração dela bate acelerado. Karen balança a cabeça, contraindo a boca, como se estivesse se esforçando para pensar.

— Não — responde. — Não conheço nenhum Robert.

— Tudo bem — diz o Dr. Fulton, levantando-se. — Achei que valia a pena tentar.

— Tenho certeza de que isso não quer dizer nada — afirma Karen. Ela espera o médico se aproximar da porta e, no último instante, acrescenta: — Acho que o senhor não precisa comentar isso com o meu marido.

Ele se vira para ela. Os dois se entreolham. Ele assente antes de se retirar do quarto.

Capítulo Sete

NA MANHÃ SEGUINTE, Tom mal saiu do chuveiro quando a campainha toca. Ele vestiu calça jeans e camiseta, e o cabelo ainda está molhado, mas penteado. Irá para o hospital daqui a pouco, mais um dia sem trabalhar. Está descalço e acabou de preparar o café.

Não consegue imaginar quem seria a essa hora. Não são nem oito da manhã. Olha pelo vidro da porta. É o agente Fleming.

Ver o agente Fleming em sua varanda o deixa imediatamente irritado. Tom já está sobrecarregado, não sabe nada além do que sabia ontem. Não pode ajudar os policiais. Por que Fleming não dá um tempo até Karen recuperar a memória?

Ele abre a porta. Não dá para deixar um policial fardado esperando do lado de fora.

— Bom dia — cumprimenta Fleming.

Tom o encara, sem saber o que fazer. Lembra-se de que o agente foi muito gentil e sensível quando veio à sua casa pela primeira vez, para dar a terrível notícia do acidente de Karen.

— Posso entrar? — pergunta ele, finalmente.

Ele continua profissional e respeitoso como naquela noite. Tem uma postura tranquila. Não parece ameaçador, e sim disposto a ajudar.

Tom assente, abrindo a porta. O cheiro de café já se apoderou da casa. É melhor oferecer uma xícara ao policial.

— Café? — pergunta.

— Seria ótimo — responde Fleming.

Tom se dirige à ampla cozinha, nos fundos da casa, com o policial o seguindo. Sente Fleming observá-lo servir o café. Coloca as xícaras em cima da mesa, pega o leite e o açúcar.

Os dois se sentam à mesa da cozinha.

— Como posso ajudar? — pergunta Tom. Ele se sente incomodado, não consegue esconder completamente sua irritação.

Fleming se serve de leite e açúcar. Depois coloca o café por cima, pensativo.

— O senhor estava presente quando conversamos com sua mulher sobre o acidente, ontem — lembra ele.

— Estava.

— Entende por que tivemos de indiciá-la?

— Entendo — responde Tom, com rispidez. Ele suspira e acrescenta, falando sinceramente: — É um alívio que mais ninguém tenha se machucado.

Faz-se um longo silêncio, durante o qual Tom imagina o horror que poderia ter sido. Karen poderia ter matado alguém, e seria uma desgraça ter de conviver com isso. É o tipo de coisa que a pessoa nunca supera. Tom tenta se convencer de que tiveram sorte.

De repente, sente necessidade de conversar. Não sabe por que confidencia isso ao policial, que é praticamente um desconhecido, mas não consegue se segurar:

— Ela é minha mulher. Eu a amo. — O policial retribui o olhar com solidariedade. — Mas também tenho algumas perguntas — prossegue Tom, de forma descuidada. — As mesmas perguntas que você. O que ela estava fazendo naquele lugar, dirigindo feito louca? Minha mulher não é assim. Não faz esse tipo de coisa.

Tom se levanta. Leva a xícara à bancada e se serve de mais café, tentando recuperar o autocontrole.

— É por isso que estou aqui — explica Fleming, observando-o. — Queria saber se o senhor consegue se lembrar de alguma coisa que poderia ajudar a esclarecer as circunstâncias do acidente. Mas parece que não.

— Não — confirma Tom, mantendo os olhos fixos no chão.

O policial espera um pouco antes de fazer a pergunta seguinte.

— Como está o seu casamento?

— Meu casamento? — repete Tom, surpreso, fitando o policial. É a segunda vez que Fleming pergunta isso a ele. — Por que você quer saber?

— O senhor telefonou para a polícia dizendo que ela havia desaparecido.

— Porque eu não sabia onde ela estava.

Com o rosto impassível, Fleming diz:

— Parecia que a sua mulher estava fugindo de alguma coisa. Preciso perguntar... Ela estava fugindo do senhor?

— O quê? Não! Como você pode sequer cogitar uma coisa dessas? Eu amo a minha mulher! — Tom balança a cabeça. — Faz pouco tempo que estamos juntos, estamos prestes a fazer dois anos de casados. Somos muito felizes. — Ele titubeia. — Estávamos pensando em começar uma família.

Ele se dá conta de que acaba de falar usando o pretérito.

— Entendi — assente Fleming, fazendo um gesto apaziguador com ambas as mãos. — Eu precisava perguntar.

— Claro.

Tom quer que Fleming vá embora.

— E como era a vida da sua esposa antes de conhecer o senhor? Ela já foi casada?

— Não.

Tom deixa a xícara sobre a bancada e cruza os braços.

— Já teve algum problema com a justiça?

— Não, claro que não — responde Tom, com arrogância. Mas mesmo ele entende que, dadas as circunstâncias, aquela não é uma pergunta tão absurda.

— E o senhor?

— Não, também nunca tive nenhum problema com a justiça. Tenho certeza de que você pode conferir isso. Sou contador, ela é escriturária. Somos um casal careta.

— Fico me perguntando... — Fleming se interrompe, como se não soubesse se deve falar ou não.

— O quê?

— Fico me perguntando se ela está correndo algum tipo de perigo — completa o agente, com jeito.

— O quê? — pergunta Tom, com um sobressalto.

— Como eu disse, ela estava dirigindo como se estivesse fugindo de alguma coisa, como se estivesse assustada. Uma pessoa tranquila não dirige assim.

Tom não tem uma resposta para isso. Fica apenas olhando para Fleming, mordendo o lábio inferior.

Fleming inclina a cabeça para o lado e pergunta:

— O senhor gostaria que eu o ajudasse a revistar a casa?

Tom o encara, apreensivo.

— Por quê?

— Para ver se encontramos alguma coisa que ajude a esclarecer...

Tom fica paralisado. Não sabe o que responder. O Tom normal, anterior a tudo isso, teria dito: "Claro, vamos dar uma olhada." Mas este é o Tom pós-acidente, que não sabe no que a esposa estava metida quando saiu de casa e bateu de carro. E se houver alguma coisa que ela está escondendo, alguma coisa que a polícia não deveria descobrir?

Fleming o observa, esperando para ver o que ele irá fazer.

Brigid está tomando o café da manhã, a luz do sol vertendo sobre o tapete. Bob já saiu para o trabalho, depois de se despedir dela com um beijo no rosto. Faz algum tempo que as coisas não estão bem entre os dois.

Ele passa quase todo o tempo fora trabalhando. É proprietário da Funerária Cruikshank. Mas, quando está em casa — quando acha que ela não está vendo —, ele a vigia, como se temesse por ela, como se temesse pelo que ela está pensando, pelo que pode fazer. Mas não se preocupa realmente se ela está bem ou não, reflete Brigid. Parou de se importar com ela já há algum tempo. Agora sua única preocupação é ser afetado pelas atitudes dela.

Os dois já não conversam sobre isso, mas Brigid sabe que a incapacidade deles de ter um filho mudou tudo. A infertilidade deles a deixou deprimida e irritadiça, fez com que Bob se afastasse dela. Ela sabe que está mudada. Era divertida, até um pouco inconsequente. Achava que poderia fazer qualquer coisa. Mas agora se sente mais velha, mais desanimada, menos bonita, embora tenha apenas 32 anos.

Viu o policial fardado chegar na viatura alguns minutos atrás, logo depois que Bob saiu. O que estará fazendo? Tom evidentemente está em casa. O carro está ali.

Brigid anda muito introspectiva. Sabe que aquilo não lhe faz bem, mas não tem o menor interesse em procurar um novo emprego e *ajustar suas expectativas*, como Bob sugere. Ela tem muito tempo para pensar. Lembra-se de quando Karen apareceu. Tom era solteiro quando comprou a casa, o único homem solteiro num bairro cheio de famílias. (É como se Brigid se ressentisse ao pensar nisso: ela e Bob haviam escolhido aquele bairro porque era o lugar perfeito para crianças — para o filho que nunca terão.) Então, Tom começou a namorar Karen. Assim que eles se casaram, Karen deixou a propriedade com a cara dela. Pintando, decorando, replanejando o jardim. Brigid acompanhou a transformação: não há dúvida de que Karen tem bom gosto.

Desde o início — antes mesmo de Tom e Karen decidirem se casar —, Brigid fez questão de acolher a namorada dele no bairro. Foi o mais simpática possível. No início, Karen se mostrou reservada, mas logo foi cedendo à amizade, como se ansiasse por companhia feminina. Exatamente como Brigid supunha que ela estivesse, já que havia acabado de se mudar para o estado e não conhecia mais ninguém. As duas começaram a passar cada vez mais tempo juntas. Karen parecia de fato estimá-la como amiga, mesmo que não parecesse muito à vontade em trocar confidências.

Brigid descobriu que Karen havia trabalhado como temporária na empresa de Tom e estava procurando emprego permanente. Foi Brigid quem conseguiu para ela a vaga de escriturária na Funerária Cruikshank. É Brigid quem está fazendo questão de manter Karen no emprego o tempo que ela precisar. A empresa contratou uma funcionária temporária por ora, para ficar no lugar dela.

Ninguém poderia acusá-la de não ser uma boa amiga.

Capítulo Oito

TOM TRAZ KAREN do hospital para casa no começo da noite. Faz três dias que ela sofreu o acidente. Ele dirige devagar, com cuidado, desviando dos buracos da rua, enquanto a esposa olha pela janela do carro. Ela se sente agradecida. Volta os olhos para Tom. Nota que o marido está tenso ao olhar para ele, embora ele procure fingir que está tudo bem.

Quando finalmente chegam à pequena Dogwood Drive, Tom para o carro na entrada do número 24. É bom estar em casa de novo. Ela adora o fato de as árvores terem espaço para crescer aqui. Não há aquela aglomeração dos bairros residenciais mais novos e menos caros, onde as casas são amontoadas, com uma nesga de grama fazendo as vezes de jardim. Adora a amplidão daqui, o verde. Tem orgulho do jardim, agora cheio de hortênsias cor-de-rosa.

Os dois permanecem sentados em silêncio, sentindo o motor do carro esfriar. Tom segura a mão de Karen por um instante. E ela salta do veículo devagar.

Já dentro de casa, está se virando para fechar a porta quando Tom joga a chave em cima da mesinha. Ela se sobressalta. O barulho provoca uma pontada de dor na têmpora e uma sensação de vertigem. Karen fecha os olhos, cambaleante, apoiando-se na parede.

— Desculpe! Você está bem? — pergunta Tom, arrependido. — Eu não devia ter feito isso.

— Estou bem, só fiquei um pouco tonta.

Ruídos agudos a incomodam, assim como luz forte e movimentos bruscos. O cérebro dela precisa *mesmo* de tempo para se recuperar. Karen vai até a sala e encontra consolo nos tons apaziguantes de cinza e branco, na decoração elegante. O sofá branco cuidadosamente escolhido fica de frente para a moderna lareira de mármore. Diante do sofá, vê-se a mesinha de centro quadrada, com a coleção de *Elle Décor* e *Arts and Antiques* sob o tampo de vidro. Acima da lareira, há um espelho imenso, e sobre o consolo há porta-retratos com fotografias dos dois, Tom e ela. As poltronas cinza ficam de frente para o sofá, com almofadas em tons pastel de rosa e verde. A sala inteira é clara e arejada e muito familiar para Karen. É como se os últimos dias nunca tivessem acontecido. Ela se aproxima da janela e olha lá para fora. As casas do outro lado da rua lhe parecem inofensivas.

Por fim, afasta-se da janela e acompanha Tom até a cozinha.

— Dei uma arrumada nas coisas — diz ele, sorrindo.

Tudo reluz. A pia, as torneiras, a bancada, os utensílios de aço inoxidável. Até o piso de madeira brilha.

— Você fez um ótimo trabalho — elogia Karen, sorrindo para ele também. Ela olha para o quintal pela porta de vidro de correr. Em seguida, sentindo um pouco de sede, pega um copo no armário para beber um gole de água. Abre a torneira, olha para a pia e imediatamente se segura na bancada, para se equilibrar. — Acho que preciso me deitar um pouco.

— Claro — concorda Tom.

Ele pega o copo da mão dela e enche-o de água.

Karen segue o marido até o andar de cima. O quarto também é claro e arejado, com muitas janelas ao fundo. Há um livro sobre a mesinha de cabeceira dela e outros exemplares no chão, ao lado da cama. Ela os pegou na biblioteca pouco tempo atrás. Queria ler especialmente o novo romance da Kate Atkinson, mas não pode ler muito agora, não enquanto a concussão não melhorar. Ordens médicas. Tom a observa.

Ela olha para a cômoda, sobre a qual há uma bandeja espelhada com vidros de perfume. Ao lado da bandeja fica o porta-joias. As joias de sempre ela já voltou a usar: a aliança e o colar que Tom lhe deu no primeiro aniversário de casamento deles.

Ela se vê no espelho acima da cômoda, ainda ferida, cheia de hematomas. Lembra-se de como andava assustada. Todas as vezes em que voltara para casa e encontrara os objetos ligeiramente fora do lugar, pequenos sinais de que alguém andava mexendo em suas coisas. Aquilo a deixara apavorada. E Tom não sabia nada sobre isso.

Ela vem escondendo muitos segredos do homem que ama. E teme que o Dr. Fulton conte a ele e à polícia o que ela falou no hospital. Ah, se ao menos conseguisse se lembrar do que aconteceu naquela noite! É como se estivesse cega, tentando enfrentar perigos que não enxerga.

De repente, sente-se cansada.

— Descanse um pouco, eu preparo o jantar — murmura Tom.

Ela assente. Não quer fazer o jantar. Não quer fazer nada a não ser se aninhar debaixo das cobertas e se esconder do mundo.

Com delicadeza, Tom acrescenta:

— Algumas amigas suas estão perguntando quando podem fazer uma visita.

— Ainda não me sinto bem para receber ninguém, só a Brigid.

Ela se sente agradecida por Brigid, mas não quer ver mais nenhuma das amigas. Não quer responder às perguntas delas.

— Eu avisei, mas elas querem vir assim mesmo.

— Ainda não.

Ele assente.

— Tenho certeza de que vão entender. Isso pode esperar. De qualquer forma, você precisa descansar. — Ele a encara, preocupado. — Como você está?

Ela quer responder: "Apavorada." Mas, com um sorriso, diz:

— Feliz por estar em casa.

* * *

Tom liga a churrasqueira, deixa a carne marinando e prepara rapidamente uma salada e pão de alho. É um alívio que Karen esteja de volta.

Mas ainda há a questão que ninguém ousa discutir. O acidente. E o que o provocou.

Ele quer confiar nela.

O agente Fleming sugeriu vasculhar a casa pela manhã. Tom se lembra de como ficou espantado com aquilo. A primeira coisa que pensou foi: *O que ele está procurando?* Então: *E se encontrar alguma coisa? Algo indevido?* Ele recusou a oferta.

Em seguida, ficou espiando atrás da cortina o policial dar uma longa olhada na casa e, por fim, entrar na viatura e ir embora. Então fez duas coisas. Procurou na Internet um advogado criminalista e marcou um horário com ele. E vasculhou a casa de cima a baixo.

Isso ocupou a maior parte do dia, com um intervalo para visitar Karen no hospital. A cozinha acabou sendo o cômodo mais demorado. Ele conferiu todas as caixas de cereal, os sacos de farinha, arroz e açúcar, tudo que não estava fechado. Esvaziou todos os armários, checou o fundo de todas as gavetas. Tateou os lugares que não conseguia ver, procurando objetos que poderiam estar presos ali. Conferiu as prateleiras superiores dos armários, olhou debaixo de tapetes e colchões, dentro de malas e sapatos pouco usados. Desceu ao porão, respirando o ar rançoso, esperando os olhos se ajustarem à luz mais fraca. Não havia muita coisa ali embaixo: apenas a lavanderia e algumas caixas de tralhas. O cômodo era usado sobretudo como depósito. Ele revirou tudo. Olhou até atrás da fornalha. Por fim, vasculhou a garagem. Durante todo o tempo em que procurava, Tom se manteve num estranho estado de incredulidade em relação a si mesmo e à situação. *O que estava fazendo? O que estava procurando?* Não encontrou nada, nadinha de nada. Sentiu-se tolo, frustrado, envergonhado.

E aliviado.

Quando terminou, arrumou tudo como estava antes, para Karen não saber o que ele havia feito. Depois foi buscá-la no hospital.

Quando a carne já está grelhada, Tom vai avisar a Karen que o jantar está pronto.

Os dois se sentam à mesa da cozinha para comer. Tom lhe oferece vinho tinto, mas ela balança a cabeça de leve.

— Ah, claro — diz ele. — Eu me esqueci. Nada de álcool enquanto você estiver tomando os analgésicos.

Ele deixa o vinho de lado e pega água com gás para ambos.

Fita a esposa do outro lado da mesa, o cabelo castanho curto, a franja cobrindo a testa, o sorriso de canto de boca. Se não fosse pelos hematomas, ele praticamente poderia acreditar que nada havia mudado.

É quase como antes. Mas não é nada como antes.

Karen acorda muito cedo pela manhã, antes do raiar do dia. Levanta-se em silêncio e veste o penhoar. Fecha a porta do quarto e desce para a cozinha.

Ela sabe que não voltará a dormir. Liga a cafeteira e fica olhando lá para fora de braços cruzados, confortada pelos familiares barulhos da cafeteira e pelo cheiro do café, enquanto espera que ele fique pronto.

Quando a alvorada surge, há uma tênue névoa pairando pelo quintal. Ela fica olhando pela porta de vidro durante muito tempo, tentando desesperadamente se lembrar. Sente que sua vida talvez dependa disso.

Capítulo Nove

— OI — SUSSURRA TOM, ao entrar na cozinha, vendo Karen sentada à mesa com uma xícara de café. O café parece frio, o que o faz se perguntar há quanto tempo ela está acordada.

Karen levanta a cabeça.

— Bom dia.

Está bonita de penhoar, com o cabelo despenteado. Ele se sente feliz em tê-la ali, por ainda tê-la em sua vida, depois de ter ficado com tanto medo de perdê-la na noite do acidente. Mas isso também parece frágil, como se tudo ainda pudesse desmoronar.

— Dormiu bem?

— Não muito — admite ela. — Quer café?

— Quero, sim.

Ela se levanta e beija sua boca, exatamente como costumava fazer. Afasta-se dele, deixando-o aturdido. Serve uma xícara de café e começa a preparar o desjejum.

— Não, sente-se. Pode deixar que eu cuido disso — pede Tom, com firmeza, antes de começar a torrar *bagels* e quebrar ovos dentro da frigideira. — Preciso voltar a trabalhar — comenta, em tom de desculpas. — Queria poder ficar em casa com você, mas estou com trabalho acumulado no escritório...

— Ah, não tem problema, está tudo bem. Eu estou bem — garante ela, abrindo um sorriso para tranquilizá-lo. — Você não precisa ficar cuidando de mim o tempo todo. Prometo que não vou ficar fazendo esforço.

Tom precisa dar outra notícia; não pode postergá-la.

— E outra coisa...

Ele se detém, encarando-a.

— O que foi?

— Marquei uma consulta com um advogado.

Ele vê o súbito brilho do medo nos olhos de Karen, que morde o lábio inferior.

— Para quando?

— Agora de manhã, às dez horas.

Ela desvia os olhos.

— Ah, já?

— É um indiciamento grave, Karen.

— Eu sei, não precisa me dizer isso.

De repente, ambos estão tensos. Tom preferiria que não tivessem de consultar um advogado, gostaria que o acidente jamais tivesse acontecido, que ela não tivesse saído de casa naquela noite. Sente um breve lampejo de raiva dela, mas o que está feito está feito, e agora eles precisam enfrentar as consequências da melhor maneira possível. Ele percebe que está cerrando o maxilar e tenta relaxar. Guarda para si o que está sentindo.

O escritório de advocacia fica num prédio não muito distante da casa deles. Karen se mantém em silêncio durante o trajeto. Tom também não fala muito.

Já está quente, mas não há nenhuma vaga à sombra. Quando entram no prédio, o ar condicionado é um alívio. Eles pegam o elevador até o sexto andar.

A sala de espera está vazia. Tom observa Karen com o canto dos olhos. Ela não diz nada, não pega nenhuma revista na mesinha de centro. Fica sentada, nervosa, na poltrona, esperando. Não demora muito.

— Sr. e Sra. Krupp, queiram me acompanhar — chama a secretária, conduzindo-os à porta, que ela abre para eles e depois fecha.

O escritório é como o de qualquer advogado, não muito diferente da sala do advogado que Tom contratou para comprar a casa da Dogwood Drive, antes de conhecer Karen. Há uma mesa enorme, com uma pilha organizada de pastas. Atrás da mesa, o advogado, Jack Calvin, um homem de cabelo grisalho cacheado que Tom imagina ter mais de 40 anos, se levanta para cumprimentá-los, indicando as cadeiras.

— Como posso ajudá-los? — pergunta.

O advogado os observa com curiosidade. Seus olhos emanam inteligência. Tom quase consegue vê-lo pensando: *O que esse casal simpático está fazendo no meu escritório?*

— Eu telefonei mais cedo explicando que minha mulher foi indiciada por um acidente de trânsito — responde Tom, uma vez que Karen permanece em silêncio. O fato de estar no escritório de um advogado criminalista parece tê-la intimidado.

— Você pode refrescar minha memória? — pede o advogado. — Temos muitas infrações de trânsito. É o grosso do trabalho. Sobretudo embriaguez ao volante. É esse o caso?

Ele volta os olhos para Karen.

— Não — responde Tom. — Ela não estava alcoolizada. Mas, infelizmente, estava dirigindo acima do limite de velocidade e...

— Desculpe — interrompe o outro —, mas talvez fosse melhor que ela contasse o que aconteceu com as próprias palavras.

Tom se vira para Karen, que parece ficar ainda mais tensa. O advogado os observa. Como nenhum dos dois fala nada, ele fica olhando de um para o outro até por fim perguntar:

— Algum problema?

— Pois é — diz Karen, afinal. — Eu não me lembro do acidente. Não me lembro de nada. Por isso não sou a melhor pessoa para falar sobre isso.

Ela encolhe os ombros.

— Jura? — pergunta Calvin. — Você não se lembra do acidente?

— Não. Não me lembro de nada daquela noite.

— É verdade — intervém Tom. — Ela só teve alta do hospital ontem. Sofreu uma concussão grave.

O advogado fica perplexo.

— Isso é sério? Ou é a defesa que vocês estão testando? Porque não precisam fazer isso. Sou advogado de vocês. Deixem a defesa comigo.

— Não estamos testando defesa nenhuma — afirma Tom. — Ela ficou com amnésia. Mas o médico acredita que seja temporária, que ela vai recuperar a memória.

Ele olha para Karen, lívida ao seu lado. A mulher está com aquele olhar aflito que, desde o acidente, indica o início de uma dor de cabeça lancinante.

— Entendi — diz o advogado, assentindo com a cabeça e olhando para Karen.

Tom entrega ao homem a multa que receberam da polícia. Calvin lê o documento rapidamente. Ergue os olhos.

— É uma região perigosa para uma mulher como você — observa.

Ela se mantém imóvel, as costas eretas. O advogado se volta para Tom.

— O que ela estava fazendo lá?

— Não sei — responde ele.

— Você não sabe — murmura Calvin. Ele avalia ambos, como se não soubesse o que pensar. Faz-se um silêncio demorado. Por fim, diz: — Isso aqui é sério. Condução imprudente não é brincadeira. — Reflete por um instante. — Vamos fazer o seguinte. Vou precisar de um sinal hoje. Então vou adiar a audiência até ela se lembrar do que estava fazendo lá e por que estava dirigindo dessa maneira. Talvez haja um bom motivo para que ela tivesse que dirigir assim, pelo menos um atenuante. E, se não houver um, também precisamos saber.

Tom se vira para a esposa, mas ela agora olha para baixo. Ele pega o talão de cheques.

— Se você se lembrar de alguma coisa — pede o advogado, dirigindo-se a Karen —, escreva tudo para que ainda esteja nítido na sua cabeça quando nos encontrarmos. — E acrescenta: — E telefone para mim.

Karen assente.

— Tudo bem.

— Ou então... talvez você queira vir aqui sem que seu marido esteja presente?

Ela encara o advogado. Balança a cabeça.

— Claro que não. Não tenho nada a esconder dele.

Tom a observa. *Será que é verdade?*

Eles pagam o sinal e, quando se levantam, Calvin pergunta a Karen:

— Você tem ficha na polícia?

Ela se vira para ele, olha em seus olhos.

— Não.

O advogado está olhando para ela, e algo naquele olhar incomoda Tom. Ele se dá conta de que o advogado não acredita nela. Não acredita nem um pouco nela.

No trajeto de volta para casa, o ar está carregado de tensão. Tom adorava andar de carro com Karen: algumas de suas lembranças mais felizes são dos dois juntos, neste mesmo carro, indo passar o fim de semana no interior, as malas no banco traseiro, ela rindo, a cabeça inclinada para trás...

É quase um alívio quando o celular dele toca. Tom atende. Depois se vira para ela.

— Preciso dar uma passada no escritório.

— Claro.

— Você está bem?

— Só com dor de cabeça.

Ela fecha os olhos e recosta a cabeça no encosto do banco.

Tom a deixa em casa. Beija-a antes de ela sair do carro.

— Descanse. Durma um pouco. Vou tentar chegar cedo.

Ela sai do carro e acena para o marido, os olhos semicerrados por conta do sol, enquanto ele dá ré. Tom acena para ela e segue para o escritório, preocupado com o que o futuro reserva para eles. Imaginando que segredos a esposa estará guardando.

Capítulo Dez

QUANDO TOM VAI para o escritório, Karen entra em casa. A conversa com o advogado a deixou inquieta. Ficou claro que ele achou que ela estava mentindo. Karen pressiona os olhos cansados com os dedos. Vai até a cozinha, abre o freezer e pega a bolsa de gelo que lhe deram no hospital. Vem usando a bolsa para aliviar o inchaço no rosto. Agora a coloca sobre a testa. Aquela sensação gelada é agradável. Ela se senta à mesa da cozinha com os olhos fechados, mantendo a bolsa na cabeça, movendo-a devagar, tentando aliviar aquela dor medonha.

O dia está quente, sufocante. Ela sente o suor empapar a blusa, mesmo com o ar-condicionado ligado. Talvez devesse aumentar a potência. Quando a dor de cabeça diminui um pouco, abre os olhos. Contempla a bancada da cozinha, a mesma que ela trocou ao se mudar. Ainda adora olhar para a bancada, a superfície negra reluzente, entremeada de prata. Mas agora o que ela vê é um copo vazio ao lado da pia.

Fita o copo, então corre os olhos pela cozinha, porém nada mais parece fora do lugar.

Tem certeza de que o copo não estava sobre a bancada quando eles saíram para ir ao escritório do advogado. Porque, antes de sair, ela e Tom — sobretudo Tom — haviam arrumado a cozinha, colocado a louça do café da manhã na lavadora e limpado a bancada. Ela detesta quando fica louça na bancada. É meio obsessiva por arrumação. E sabe que deu uma última olhada na cozinha antes de sair de casa porque voltou para se certificar de que a porta de vidro estava trancada. Sempre confere as portas, motivo pelo qual ficou tão transtornada quando Tom lhe contou que ela não trancara a porta ao sair de casa na noite do acidente. Nem apagara a luz. Nem pegara a bolsa. Se ao menos conseguisse se lembrar...!

Hesitante, pega o copo, olha o interior, cheira. Agora está vazio, mas antes havia água, ela tem certeza, como se alguém tivesse entrado na casa e tomado um copo de água antes de voltar para o calor da rua. A cabeça lateja, e ela de repente se sente tonta. Tenta se apoiar na bancada e derruba o copo, que se estilhaça no chão.

Olha o vidro quebrado a seus pés, a respiração ofegante, o corpo inteiro tremendo. Corre para a sala e telefona para Brigid usando a discagem rápida.

— Brigid! — exclama, quando a vizinha atende. — Você pode vir aqui? Depressa!

Nem sequer tenta esconder o medo, o pânico que está sentindo. Só quer a companhia de Brigid. Quanto antes, melhor. Não quer ficar sozinha ali.

— Claro, estou indo — responde Brigid.

Karen aguarda na varanda, impaciente. Em poucos segundos, vê Brigid sair de casa e atravessar a rua. *Graças a Deus!*

— Nossa, Karen, o que aconteceu? — pergunta a amiga. — Você está branca feito um fantasma.

— Alguém entrou aqui em casa — afirma Karen.

— O quê? — Brigid parece assustada. — Como assim?

Karen a conduz para dentro.

— Alguém entrou aqui enquanto Tom e eu estávamos fora, agora de manhã. Acabei de voltar. Quando fui até a cozinha...

Ela não consegue terminar o que está dizendo.

— Você viu alguém? — pergunta Brigid. — Tinha alguém na cozinha?

Karen balança a cabeça.

— Não.

Ela está mais calma agora que Brigid chegou. É uma sorte ter uma amiga tão boa morando do outro lado da rua. Karen sabe que Brigid largaria o que quer que fosse para acudi-la. Gostaria de poder confidenciar por que está tão assustada. Mas não pode contar a verdade nem à melhor amiga nem ao marido.

Ela observa Brigid se aproximar da cozinha e parar no vão da porta, correndo os olhos ao redor. Depois de alguns instantes, a amiga volta.

— O que aconteceu?

— Quando entrei em casa, fui para a cozinha. E tinha um copo vazio na bancada. O copo não estava lá quando saímos. Alguém o deixou ali, e não fomos nem eu nem o Tom.

— Tem certeza? — pergunta Brigid.

— Claro que tenho! Você acha que eu estaria transtornada assim se não tivesse?

Brigid se mostra preocupada. Olha para a cozinha, depois para Karen.

— Como o copo quebrou?

— Peguei para olhar mas fiquei tonta e o deixei cair.

Brigid a encara, apreensiva.

— Talvez seja melhor ligarmos para o Tom.

Tom volta para casa o mais depressa possível, a mente a mil. Assim que chega, sai do carro correndo e sobe a escada da varanda aos pulos, irrompendo na sala para ver Karen deitada no sofá com a bolsa de gelo na testa e Brigid lhe fazendo companhia.

— Karen, meu amor, você está bem? O que aconteceu?

Ela se senta. Entrega a bolsa de gelo para Brigid, que imediatamente se retira para guardá-la no congelador.

— Não sei — responde ela. — Quando entrei em casa, tinha um copo na bancada. Tenho certeza de que não estava lá quando saímos. Acho que alguém entrou aqui em casa.

Tom se dirige à cozinha, detendo-se no vão da porta ao ver o vidro quebrado. Surpreende Brigid olhando para ele ao fechar o congelador e contorna os cacos de vidro.

Karen se aproxima por trás dele.

— Deixei o copo cair — explica.

Tom vira-se para ela, preocupado.

— Tem certeza de que o copo não estava na bancada? Talvez estivesse.

Ele não consegue se lembrar se havia tomado água de manhã e deixado o copo em cima da bancada. Sua cabeça está cheia, e detalhes assim lhe escapam.

— Não sei — balbucia ela, balançando a cabeça. — Eu tinha certeza. Dei uma última olhada aqui antes de sair para ver se a porta dos fundos estava trancada. Achei que estava tudo guardado.

— Venha, vamos nos sentar — chama Tom, conduzindo-a de volta ao sofá, enquanto Brigid varre os cacos de vidro.

Ele acomoda Karen no sofá e revira a casa inteira. Nada sumiu. Nada está fora do lugar. A essa altura, Brigid se sentou numa das poltronas, de frente para a amiga. Está vestida para o calor, calça capri de algodão e camiseta, o cabelo comprido derramando-se sobre os ombros. Quando Tom volta os olhos em sua direção, ela prende o cabelo em um nó. Ele se vira para Karen.

— Acho que ninguém entrou aqui em casa — observa, com delicadeza.

Karen desvia o olhar.

— Você acha que estou imaginando coisas?

— Não — responde Tom, mantendo a calma. — Não acho. Acho que você não se lembra direito se havia ou não um copo na bancada. Com esse calor, estamos tomando muita água, um de nós dois poderia ter deixado o copo ali. Talvez eu mesmo tenha deixado... Não me lembro. — Com todo o cuidado, ele acrescenta: — Você está em fase de recuperação, Karen. Lembra o que o médico disse? Você também pode ter problemas com memória de curto prazo por um tempo, não se lembrar de coisas que aconteceram depois do acidente. Talvez o copo estivesse ali e você só não se lembra.

— Talvez — assente ela, hesitante.

Tom se vira para Brigid.

— Pode deixar que eu assumo daqui — diz. — Obrigado por ter vindo.

— Imagina — diz a vizinha.

— Obrigada mesmo — murmura Karen quando Brigid se levanta. — Não sei o que eu faria sem você, Brigid.

Tom observa Brigid abraçando sua esposa. Karen a abraça com ternura.

— Obrigado por ter limpado os cacos de vidro também — Tom lhe agradece.

— De nada. — Ela sorri para Karen. — Até mais.

Brigid atravessa a rua, enquanto os dois a observam da varanda. Tom se mantém um pouco atrás de Karen. Observa Brigid e também a esposa.

Capítulo Onze

O DETETIVE RASBACH se detém por um instante para fazer um reconhecimento do local. Há um centro comercial decrépito do outro lado da rua, com uma loja de conveniência, uma lavanderia e um bazar, sem muitas outras unidades abertas. Mesmo num dia de verão ensolarado como este, o bairro é deprimente. Diante dele, há a cena do crime: um restaurante abandonado. A porta e as janelas foram cobertas com tábuas, mas alguém tirou a tábua de uma janela para espiar o interior, ou talvez ela tenha caído com o tempo. Rasbach contorna o restaurante. Cumprimenta algumas pessoas da equipe técnica da perícia e passa por baixo da fita amarela.

Entra no restaurante pela porta dos fundos imunda, que não estava coberta com tábuas como a da frente. Bom, se um dia esteve, já não está mais. Qualquer pessoa pode entrar ali. A primeira coisa que ele nota é o cheiro, que tenta ignorar.

Há um balcão antiquado à esquerda, mas nada de mesas ou cadeiras. Tiraram tudo, até as lâmpadas. Mas há um sofá velho encostado na parede e algumas latas de cerveja vazias espalhadas ao redor. O sol entra filtrado pelas janelas, pelas frestas das tábuas, mas a iluminação vem, sobretudo, das luminárias da equipe forense. O piso de linóleo sujo está rachado, as paredes são escuras, manchadas de nicotina. E há um corpo no chão.

O cheiro é horrível. É o que acontece quando o corpo é encontrado após dias, no calor do verão. Este está bastante feio.

Rasbach para no meio do restaurante fétido, com seu terno elegante, pensando que terá de mandar lavá-lo, e tira do bolso um par de luvas de borracha.

— Alguém telefonou para a polícia. Não deixou nome — avisa o policial ao seu lado.

O detetive assente. Passa alguns minutos fitando o corpo ensanguentado, estudando-o. É o cadáver de um homem de cabelo preto, provavelmente de seus quase 40 anos, usando uma calça escura de aparência sofisticada e camisa igualmente elegante, agora coberta de sangue seco, rodeada de moscas. A vítima levou dois tiros no rosto e um no peito. Os sapatos sumiram, o que revelou meias de boa qualidade. Também não há cinto.

— Algum sinal da arma? — pergunta Rasbach ao técnico que se encontra do outro lado do corpo, também avaliando-o.

— Ainda não.

Rasbach se debruça com cuidado sobre o cadáver, tentando não respirar, notando o círculo mais claro no dedo, de onde um anel foi removido. Percebe um círculo semelhante em torno do pulso, onde outrora houve um relógio. A vítima foi roubada, mas o motivo principal do crime não foi roubo, deduz Rasbach. O que esse homem estava fazendo ali? Esse bairro não era lugar para ele. Parece mais uma execução. Só que ele levou tiros no rosto e no peito, em vez de ser alvejado na nuca. Parece ter morrido pelo menos há dois dias, talvez até mais. O rosto está sem cor, inchado.

— Sabemos quem é?

— Não. Ele não tem nenhum documento de identificação. Aliás, não tem nada além das roupas.

— Testemunhas? — pergunta Rasbach, já sabendo a resposta.

— Nada. Pelo menos por enquanto.

— Tudo bem.

Rasbach respira fundo.

O corpo logo será tirado dali e enviado ao médico-legista para necropsia. Os técnicos irão colher impressões digitais do cadáver para ver se há alguma correspondência no banco de dados criminal. Se não encontrarem nada a partir das digitais, terão de investigar a lista de pessoas desaparecidas, o que será enfadonho, mas boa parte do trabalho policial é assim. Em geral, o trabalho enfadonho dá resultados.

Eles vão continuar procurando a arma do crime, provavelmente um revólver de calibre 38, pelo aspecto do estrago deixado no corpo. Ao que tudo indica, o assassino se desfez dele longe da cena do crime, ou outra pessoa o pegou. Considerando o bairro em que estão, Rasbach não fica surpreso com o fato de o cinto e os sapatos terem sido roubados, assim como a carteira e outros pertences da vítima, sem dúvida também o celular.

Quando a perícia termina de examinar o corpo e vasculhar as redondezas, tudo que encontra é um par de luvas de borracha cor-de-rosa com estampa floral na altura dos cotovelos, descartado num estacionamento próximo. Rasbach acha que as luvas não têm nenhuma ligação com a vítima do restaurante, mas, de qualquer forma, pede a um técnico que as coloque em um saco para coleta de evidências. Afinal, nunca se sabe.

Rasbach e outro detetive, Jennings, acompanhados de dois policiais fardados, passam a noite na região batendo de porta em porta, procurando testemunhas.

Como já era de esperar, ninguém viu nada.

Na manhã seguinte, o Dr. Perriera, o médico-legista, está esperando por eles.

— Oi, pessoal — cumprimenta-os, evidentemente satisfeito em vê-los.

Rasbach sabe que o médico-legista gosta quando os detetives vão até lá. O detetive fica admirado com o fato de que, mesmo depois de quase vinte anos, a natureza deprimente do trabalho do médico não parece nunca o abater. Facadas, tiros, afogamentos, acidentes de trânsito, nada parece incomodar o sempre animado e extrovertido Dr. Perriera.

Ele estende uma travessa de balas de hortelã. Elas ajudam a mascarar o cheiro. Ambos os detetives aceitam. O Dr. Perriera recolhe o papel das balas e o joga na lixeira.

— O que você pode nos dizer? — pergunta Rasbach, quando eles se aproximam da comprida mesa de aço, olhando para o cadáver.

Rasbach sabe que é uma sorte Jennings sempre ter tido estômago, assim como ele. O outro detetive se mostra atento, curioso, nem um pouco incomodado com o horror que está sobre a mesa, a bala de hortelã fazendo volume em sua bochecha.

— O corpo está intacto — começa o Dr. Perriera. — Homem, caucasiano, pouco menos de 40 anos, boa saúde. O primeiro tiro atingiu o peito; o segundo, o rosto; mas foi o terceiro, que atingiu o cérebro, que o matou. A morte foi rápida. Ele foi alvejado de perto, de dois a três metros de distância, com um revólver de calibre 38.

Rasbach assente.

— Quando exatamente morreu? — pergunta.

O Dr. Perriera se vira para ele.

— Sei que vocês adoram estabelecer a hora da morte e faço o que posso, de verdade, mas, quando vocês me mandam um cadáver que está exposto há muitos dias, minha capacidade de ser preciso fica comprometida, entende?

Rasbach assente mais uma vez. Sabe que o Dr. Perriera é perfeccionista, que seus dados são sempre confiáveis.

— Entendo — responde. — Mas, ainda assim, prefiro sua estimativa à de qualquer outra pessoa.

O Dr. Perriera abre um sorriso.

— Fiz a necropsia ontem à noite. Levando em consideração o estado de decomposição, as larvas encontradas no corpo e, evidentemente, o clima quente, estimo que ele teria morrido quatro dias antes. Com margem de erro de um dia para mais ou para menos.

Rasbach faz os cálculos.

— Então, quatro dias antes de ontem à noite... seria a noite de 13 de agosto.

O Dr. Perriera assente.

— Mas ele pode ter sido morto entre o fim do dia 12 até a noite de 14 de agosto. Em algum momento nesse intervalo.

Rasbach volta os olhos para o corpo sobre a mesa de aço. Ah, se ele pudesse falar...

Na delegacia, Rasbach escolhe uma sala de reunião grande como base da investigação e se dirige à equipe que selecionou. Ele e Jennings são os detetives, e Rasbach escolheu vários agentes da patrulha para ajudá-los.

— Ainda não sabemos quem é o homem — começa. — Não achamos correspondência com as impressões digitais de lugar nenhum, nem na lista de pessoas desaparecidas nem no banco de dados. Vamos começar a divulgar a descrição dele e algumas fotografias pelas unidades de polícia e veículos de imprensa para ver se descobrimos quem ele é. Talvez alguém o reconheça.

Rasbach decide conferir todos os registros policiais das 48 horas entre as noites de 12 e 14 de agosto. Está procurando qualquer coisa fora do comum. Não há muito: nada além de algumas apreensões de drogas e dois acidentes de trânsito. Um dos acidentes era bastante claro: uma batida no meio da tarde. Mas o outro... Um Honda Civic acima do limite de velocidade, se afastando dos arredores da cena do crime, quando bateu num poste, às oito e quarenta e cinco da noite de 13 de agosto.

Ao ver isso, Rasbach sente os pelos da nuca se arrepiar.

Capítulo Doze

— O QUE PODEMOS fazer por você? — pergunta Fleming a Rasbach, bebendo um gole de café. — Não é todo dia que um detetive da Divisão de Homicídios vem ao nosso departamento.

Rasbach põe as fotografias da vítima do assassinato em cima da mesa.

Tanto Fleming quanto Kirton se inclinam para olhar. Kirton balança a cabeça. Fleming se demora observando, mas não diz nada.

— O corpo só foi encontrado depois de alguns dias — explica Rasbach. — Recebemos um telefonema apenas no dia 17 de agosto. Acho que antes foi revirado por moradores da região.

— Não o conheço — afirma Kirton.

— Também nunca o vi. — Fleming volta os olhos para Rasbach. — O que isso tem a ver com a gente?

— Ele foi morto num restaurante abandonado da Hoffman Street, por volta do dia 13 de agosto. E eu soube que houve um acidente de trânsito ali perto, na noite de 13 de agosto.

Fleming e Kirton se entreolham. Kirton se endireita na cadeira.

— Houve, sim.

— O que vocês sabem a respeito desse acidente? — pergunta Rasbach.

— Uma mulher estava dirigindo acima do limite de velocidade, ultrapassou um sinal vermelho. Tentou desviar de um carro, perdeu o controle da direção e bateu num poste — resume Kirton.

— Ela sobreviveu?

— Sobreviveu — responde Fleming, debruçando-se sobre a mesa. — Sobreviveu, mas aparentemente está com *amnésia*.

— Você está de sacanagem, não? — surpreende-se Rasbach.

— Não. Todo mundo caiu nessa: o médico, o marido — observa Fleming.

— Mas você, não.

— Não sei. Na mesma noite, o marido telefonou para a polícia dizendo que a mulher tinha desaparecido. Saiu de casa com pressa, sem bolsa nem telefone, e se esqueceu de trancar a porta.

Rasbach se vira para o agente Kirton, que já está balançando a cabeça.

— Acho que ela está mentindo — afirma Kirton.

— O que vocês sabem sobre essa mulher? — pergunta Rasbach.

— O nome dela é Karen Krupp — explica Fleming. — Uma típica dona de casa, se ignorarmos onde estava e o que fazia naquela noite.

— Dona de casa.

— É. Trinta e poucos anos, escriturária. Casada com um contador. Sem filhos. Mora numa casa bonita em Henry Park.

Rasbach se lembra das luvas de borracha cor-de-rosa encontradas perto do local do crime, as que tinha pedido que alguém colocasse num saco para coleta de evidências. Havia marcas de pneu sobre elas.

— O que aconteceu com o carro?

— O Honda Civic ficou destruído — responde Kirton.

— Vou precisar dar uma olhada nos pneus do veículo — diz Rasbach.

Ele se sente animado. Não seria interessante se encontrasse uma ligação entre esse carro e o assassinato?

— Então imagino que, a partir daqui, é você quem vai assumir a investigação — deduz Fleming.

* * *

Tom se sente tenso e infeliz ao sair para o trabalho na manhã seguinte. Vestiu seus jeans para passar algumas horas no escritório e correr atrás do prejuízo no fim de semana. Deixou muita coisa atrasar quando Karen estava no hospital. Ela parecia cansada agora cedo. Já estava bem desperta quando ele acordou; tinha o rosto pálido quando ele a beijou. O inchaço sumiu, e os hematomas já estavam começando a clarear, mas ela continua com um aspecto diferente.

Desde que voltou para casa, ela parece diferente. Antes era carinhosa e tranquila. Agora está distante. Calada demais. Às vezes, se ele a toca, ela se encolhe como que por reflexo. Não costumava fazer isso. Parece nervosa, assustada. E ele acha preocupante a história do copo. Tem certeza de que ninguém entrou em casa. Por que ela estava tão convencida de que entraram? Ela parecia desesperada.

Tom também está incomodado, uma questão tem lhe preocupado: será que ela não se lembra mesmo daquela noite? *Ou simplesmente está escondendo algo dele?*

Desconfiança é um negócio insidioso: as dúvidas começaram a surgir, coisas que antes ele conseguia ignorar.

Dúvidas sobre o passado dela. Quando se mudou para a casa onde moram, ela trouxe pouquíssimas coisas. Na época, ele perguntou se ela tinha pertences em algum depósito. Karen olhou bem nos olhos dele e respondeu:

— Não, é só isso. Não me prendo às coisas.

Uma ou duas vezes, Tom se pegou pensando em por que ela não tinha nenhum laço pessoal mais antigo, nenhum primo, nenhuma amiga do tempo de escola. Quando ele a questionou sobre seus parentes próximos, Karen respondeu que não tinha família. Ele compreendeu. Os pais de Tom estão mortos, só lhe resta o irmão. Mas ela não tem ninguém. Ele tem amigos da faculdade, ela, não. Quando ele insistiu no assunto, Karen disse que não era boa em manter contato. Agiu como se ele estivesse criando caso por nada.

Ele a ama, ela o ama. Os dois são perfeitos juntos. Se ela não queria falar muito de sua vida antes de conhecê-lo, tudo bem por ele. Jamais desconfiou de um segredo perturbador, simplesmente achava que ela era reservada, que não gostava de se abrir.

Mas agora já não tem tanta certeza assim. Percebe que não sabe muito a respeito da própria esposa.

Pela manhã, os detetives Rasbach e Jennings vão ao laboratório de criminalística. Os técnicos já estão examinando as luvas cor-de-rosa, mesmo sendo um domingo.

Rasbach oferece o café expresso duplo para Stan Price, que combinou de encontrá-los para informá-los sobre suas descobertas. É apenas um encontro no Starbucks, mas Rasbach sabe que Stan geralmente é tão ocupado que não tem tempo para sair.

— Obrigado — diz Stan, o rosto se iluminando ao aceitar o copo. — Café bom é uma das maravilhas do mundo.

Há uma cafeteira vagabunda no subsolo, onde fica o laboratório forense, mas ela faz um café notoriamente ruim. Talvez seja porque nunca é limpa, mas ninguém está disposto a tirar a limpo essa hipótese dando uma boa esfregada na máquina. Rasbach faz uma anotação mental para comprar uma cafeteira nova para o departamento no Natal.

— O que temos aqui?

— Bem, as luvas. Consegui uma boa impressão do pneu a partir de uma delas. — Stan toma um gole do café. — A marca do pneu na luva corresponde ao modelo dos pneus do veículo em questão. O mesmo tipo. Não temos como saber se foram exatamente esses pneus que passaram por cima da luva, mas pode ser que sim.

— Tudo bem — assente Rasbach. Já é alguma coisa. — Quais são as chances de coletar DNA no interior das luvas?

— Eu diria que boas, mas isso vai demorar mais um pouco. Temos uma fila.

— Você pode agilizar isso para mim?

— Você pode continuar trazendo esse café delicioso?

— Com certeza.

* * *

Karen pega a bolsa, a chave e o celular, pronta para sair de casa. Precisa comprar algumas coisas.

Quando abre a porta, há um homem na varanda.

Ela fica tão assustada que quase solta um grito. Mas, embora seja estranho o desconhecido estar ali, ele não parece perigoso. Está bem-vestido, com um terno de bom corte. Tem o cabelo louro e inteligentes olhos azuis. Nesse momento, ela nota um segundo homem, que ainda está subindo a escada. Olha alarmada para ele, então volta a encarar o homem que se encontra à sua frente.

— Karen Krupp? — pergunta ele.

— Sim — responde ela, desconfiada. — Quem são vocês?

— Sou o detetive Rasbach. — Ele se vira para o outro homem, que agora também já está na varanda. — E esse é o detetive Jennings.

Capítulo Treze

KAREN FITA O DETETIVE, o coração batendo acelerado. Não estava esperando por isso.

— Podemos trocar uma palavra com a senhora? — pergunta Rasbach, mostrando o distintivo.

Ela sente as têmporas pulsando. Não quer conversar com eles. Agora tem um advogado. Por que ele não a aconselhou sobre o que dizer aos policiais caso eles voltassem a interrogá-la? Por que ela não perguntou?

— Eu estava de saída — ela consegue dizer.

— Não vai demorar — insiste Rasbach.

Ela hesita, sem saber o que fazer. Se mandá-los embora sem falar com eles, isso pode gerar hostilidade. Chega à conclusão de que é melhor recebê-los. Dirá que não se lembra de nada. Afinal, é a verdade. Não há nada que ela possa contar sobre aquela noite.

— Tudo bem, acho que dá para conversarmos um minutinho — diz, abrindo a porta e deixando-os entrar antes de fechá-la de novo.

Conduz os dois à sala. Senta-se no sofá, e eles se acomodam nas poltronas, de frente para ela. Karen resiste à vontade de abraçar uma almofada. Cruza as pernas e se recosta no canto do sofá, cerimoniosa, tentando se mostrar tranquila com o fato de haver dois detetives em sua casa.

Mas os olhos claramente inteligentes do homem a perturbam, e ela diz, um pouco rápido demais:

— Imagino que os outros policiais que estão investigando o acidente já tenham contado a vocês... mas não me lembro de nada.

Ela pensa em como isso parece ridículo. Fica corada.

— Contaram, sim — diz o detetive.

Ele se mostra tranquilo, mas alerta. É como se nada lhe escapasse. De repente, ela fica muito nervosa.

— Na verdade, não é no acidente que estamos interessados.

Ao ouvir isso, Karen sente o sangue se esvair do rosto. Tem certeza de que eles notam sua súbita palidez.

— Não? — pergunta ela.

— Não. Estamos investigando outra coisa. Algo que aconteceu perto de onde a senhora sofreu o acidente, achamos que por volta do mesmo horário.

Karen não diz nada.

— Um homem foi assassinado.

Assassinado. Ela tenta manter a fisionomia impassível, mas desconfia de que não consegue.

— O que isso tem a ver comigo?

— É o que estamos tentando descobrir — esclarece o detetive Rasbach.

— Não me lembro de nada daquela noite — repete ela. — Desculpem, mas vocês provavelmente estão perdendo o seu tempo.

— Não se lembra de nada mesmo? — pergunta o detetive.

Está claro que ele não acredita nela. Karen encara o outro detetive. Ele também não acredita.

Ela nega com a cabeça.

— Talvez possamos ajudá-la a se lembrar — sugere Rasbach.

Assustada, ela sustenta o olhar do policial. É um alívio que Tom não esteja aqui. No entanto, ao mesmo tempo, ela gostaria que estivesse.

— Achamos que a senhora estava na cena do crime.

— O quê?

Ela sente uma ligeira vertigem.

— Encontramos um par de luvas de borracha no local — observa o outro detetive.

Karen agora está completamente tonta, o coração acelerado. Pisca os olhos rápido.

— A senhora deu falta de um par de luvas cor-de-rosa, do tipo que usaria para lavar louça? — indaga Rasbach.

Ela ergue a cabeça, empertiga-se.

— Não — responde, de maneira convincente.

No entanto, ela sabe que as luvas sumiram; procurou por elas ontem. Não faz ideia de onde foram parar. Perguntou a Tom, mas ele também não sabia. De repente, sente a coragem de quem tem um aguçado instinto de sobrevivência e se vê encurralado.

— Por que vocês acham que as luvas seriam minhas? — pergunta, com aparente indiferença.

— É bastante simples — responde o detetive. — Encontramos as luvas perto do local do crime, num estacionamento.

— Continuo sem entender o que isso teria a ver comigo. Nunca tive luvas rosa.

— Um carro passou em cima das luvas, no estacionamento. Há marcas de pneu, o que é quase uma impressão digital. Seu carro tem o mesmo tipo de pneu da marca deixada nas luvas. Acho que a senhora passou por cima delas no estacionamento. Depois saiu de lá às pressas e bateu com o carro, mais ou menos na hora em que o crime ocorreu. — Ele se detém, inclina-se um pouco para a frente. — Acho que a senhora está encrencada.

Quando volta para casa, Tom se pergunta de quem será aquele veículo parado na vaga dele. Trata-se de um sedã simples, mais novo. Não é de ninguém que ele conheça. Avalia o carro, apreensivo. Quem estará visitando sua esposa? Detesta essa desconfiança que sente. Alarmado, estaciona onde Karen costuma deixar o carro e sobe correndo a escada da varanda.

Abre a porta rápido e imediatamente vê dois homens de terno sentados na sala.

— Tom! — exclama Karen, virando-se para ele, nitidamente sobressaltada.

Sua expressão é uma incógnita, um misto de alívio e medo. Tom não sabe dizer se ela está contente ou apavorada de vê-lo. Talvez um pouco das duas coisas.

— O que está acontecendo? — pergunta ele.

Os homens de terno permanecem em silêncio, observando o casal, como se esperassem para ver o que a esposa irá dizer. Tom se sente pouco à vontade. Imagina se serão da seguradora, visitando-os por causa do acidente. A última coisa de que precisa é outra má notícia.

— Esses homens são detetives — explica Karen, com um leve olhar de advertência. — Estão aqui por causa... daquela noite.

Os homens se levantam ao mesmo tempo.

— Sou o detetive Rasbach — apresenta-se o mais alto, mostrando o distintivo. -- Esse é o detetive Jennings.

— Precisamos mesmo fazer isso agora? — pergunta Tom, com certa hostilidade, entrando finalmente na sala. Ele só quer voltar à sua vida de antes. — Isso não pode esperar? Nosso advogado disse que protelaria as coisas até ela recuperar a memória.

— Infelizmente, não viemos aqui por causa do acidente de trânsito — informa o detetive Rasbach.

Tom sente uma fraqueza nas pernas. O coração acelera. Ele precisa se sentar. Desaba no sofá, perto de Karen. Percebe que já esperava por algo assim. No íntimo, sabia que havia mais coisa por trás daquela história. É como se tivesse aberto a porta errada em algum lugar e se deparado com outra vida, uma vida que não faz sentido, cheia de impostores.

Cauteloso, estuda os detetives. Volta os olhos para Karen, mas ela não olha para ele.

Como ninguém diz nada, o detetive Rasbach prossegue:

— Como acabamos de explicar para a sua esposa, estamos investigando um assassinato que ocorreu perto do local onde ela sofreu o acidente.

Assassinato.

Karen se vira abruptamente para ele.

— Eles querem saber se demos falta de um par de luvas de borracha, mas já respondi que não.

Tom a encara, sentindo o coração apertar. Balança a cabeça. O tempo parece desacelerar.

— Luvas de borracha? Não, não demos falta de nenhuma luva de borracha — confirma, a cabeça aérea, o gosto de bile na garganta. Vira-se para o detetive. — Por quê?

Tom sabe que é péssimo ator. O detetive de olhos perspicazes parece enxergar sua alma. Sabe que ele está mentindo.

— Encontramos um par de luvas de borracha perto do local do assassinato — responde Rasbach. — Luvas cor-de-rosa, com estampa floral na altura do cotovelo.

É como se Tom ouvisse isso vindo de muito longe. Ele se sente distante, atordoado. Tudo parece acontecer em câmera lenta.

— Nunca tivemos nenhuma luva de borracha rosa — afirma.

Ele vê Karen desviar os olhos. *Meu Deus! Ele acabou de mentir para os detetives. O que está acontecendo?*

— Na verdade, a origem ou o dono das luvas não tem muita importância — observa o detetive. — O importante é que as marcas de pneu deixadas nelas batem com a padronagem dos pneus do carro da sua esposa, o que mostra que ela estaria perto do local do assassinato pouco antes de sofrer o acidente. — Ele se vira para Karen. — Parece que a senhora estava dirigindo muito rápido. — Inclina-se para a frente e acrescenta: — É um pouco conveniente que tenha ficado com amnésia.

— Não me insulte, detetive — rebate Karen.

Tom a observa, assustado. Ela está muito mais calma do que ele. Jamais imaginaria que ela teria tanto sangue-frio. É como se fosse uma estranha.

— Vocês não querem saber quem foi assassinado? — pergunta Rasbach. O detetive os está provocando. — Ou já sabem? — acrescenta, olhando para Karen.

— Não faço ideia do que você está falando — responde ela. — Nem o meu marido. Então por que você não para de rodeios e nos diz de uma vez?

Rasbach a encara, sem se deixar afetar.

— Um homem levou três tiros: dois no rosto e um no peito. À queima-roupa. Num restaurante abandonado da Hoffman Street. Acreditamos que o seu carro estava perto do local do crime. Tínhamos esperança de que *a senhora* nos dissesse o que aconteceu.

Tom se sente enjoado. Não consegue acreditar que estão tendo essa conversa, na sala de sua casa. Apenas alguns dias antes, ele estava exatamente ali quando o policial veio lhe contar do acidente. Devido às circunstâncias de tudo, ele não acreditou que a motorista pudesse ser sua esposa. Mas era. E agora isso. No que deve acreditar dessa vez?

— Quem era o homem que foi assassinado? — pergunta Karen.

Ela está muito pálida, percebe Tom, *mas mantém a voz firme. Está calma*. É quase como se ele estivesse vendo outra pessoa, uma atriz, representando o papel de sua esposa.

— Não sabemos — admite o detetive. — Talvez a senhora possa nos ajudar. — Ele pega um envelope. — Gostaria de ver uma fotografia?

Aquela não é de fato uma pergunta.

Para Tom, tudo parece continuar acontecendo em câmera lenta. O detetive coloca a foto sobre a mesinha de centro, girando-a para que Tom e Karen possam vê-la. Trata-se do rosto desfigurado de um homem com tiros na testa e na bochecha. Os olhos do morto se encontram abertos, revelando o que parece uma expressão de surpresa. Instintivamente, Tom se encolhe. O detetive coloca uma segunda fotografia ao lado da primeira. Esta mostra o corpo inchado, cheio de sangue no peito. As fotografias são repulsivas, perturbadoras. Tom não consegue evitar: olha para Karen. Ela está tão imóvel que é como se tivesse parado de respirar. Ele desvia os olhos. Não suporta olhar para a própria esposa.

— As imagens estão refrescando sua memória? — pergunta o detetive, insolente. — A senhora o reconhece?

Ela mantém os olhos fixos nas fotografias, como se as analisasse, e balança a cabeça.

— Não.

O detetive não parece acreditar.

— Como a senhora explica o fato de seu carro estar próximo ao local do crime?

— Não sei. — Há finalmente um toque de desespero na voz de Karen. — Talvez tenham sequestrado o carro e me obrigado a esperar no local, para dirigir durante uma fuga — imagina ela. — Talvez... eu tenha conseguido escapar e por isso estivesse dirigindo tão rápido.

O detetive Rasbach assente, como se admirasse a criatividade dela.

Desesperado, Tom pensa: *É possível. Não é?*

— Que outra prova vocês têm? — pergunta Karen.

— Ah! — exclama Rasbach. — Isso eu não posso revelar.

Ele pega as fotografias, volta os olhos para o colega e se levanta. Karen e Tom também se põem de pé. Rasbach tira do bolso um cartão de visita, que entrega a Karen. Ela o pega, lê o cartão e o deixa sobre a mesinha de centro.

— Obrigado por nos receber — agradece-lhe o detetive.

Os homens vão embora, e Karen fecha a porta. Em pânico, Tom se mantém parado ao lado do sofá. Quando ela volta para a sala, os dois se entreolham.

Capítulo Quatorze

NO BANCO DO CARONA DO CARRO, Rasbach reflete sobre o interrogatório, enquanto Jennings os conduz de volta à delegacia. Karen Krupp está escondendo alguma coisa. Mostrou-se admiravelmente calma por fora, mas desesperada por dentro.

Rasbach acha que ela estava perto da cena do crime, presumivelmente por volta da hora do assassinato, embora isso seja apenas uma suposição arriscada a essa altura, porque a hora estimada da morte não é tão certeira. Mas ele está convencido de que os dois acontecimentos ocorreram em momentos próximos. O que ela estava fazendo lá?

O marido não sabe mentir, reflete o detetive, lembrando-se do comportamento dele frente às perguntas. Rasbach tem certeza de que o casal perdeu um par de luvas de borracha cor-de-rosa.

Alguém deve ter visto Karen Krupp saindo de casa naquela noite. Eles precisam saber se ela estava sozinha. Rasbach decide retornar a Henry Park mais tarde para conversar com os vizinhos. Ele terá de solicitar o registro dos telefonemas do casal. Talvez ela tenha recebido uma ligação. Eles irão investigar Karen Krupp a fundo.

Satisfeito, o detetive se recosta no banco do carro. O caso tomou um rumo interessante. Adora quando isso acontece.

* * *

Tom fita a esposa, horrorizado e com um olhar de acusação. Ele acaba de mentir para a polícia por ela. A mulher que ele ama. *O que foi que ela fez?* Sente um aperto no coração.

— Tom — murmura Karen, então se detém, como se não soubesse o que dizer em seguida. Como se não soubesse explicar.

Ele se pergunta se ela não sabe de fato explicar ou se está apenas fingindo. Acreditou nela no começo, acreditou que ela não conseguia se lembrar de nada. Mas agora já não tem mais certeza. Não há dúvida de que ela parece estar escondendo alguma coisa.

— O que está acontecendo, Karen? — pergunta ele.

A voz de Tom revela indiferença, mas por dentro ele está aflito.

— Não sei — responde ela, em desalento. Os olhos se enchem de lágrimas, imploram para que ele acredite nela.

Karen é muito convincente. Tom quer se deixar convencer, mas não consegue.

— Acho que você sabe mais do que está me contando — observa.

Ela fica parada, empertigada, como se o desafiasse a dizer o que está se passando em sua cabeça. Mas ele não consegue. Não consegue acusá-la de... de assassinato.

Meu Deus, o que foi que ela fez?

— Você mentiu para os detetives — acusa Tom. — Sobre as luvas.

— Você também — rebate ela.

Isso o deixa surpreso, é como um tapa na cara. Ele fica sem palavras. Enfurecido, responde:

— Menti para proteger você! Não sabia mais o que fazer! Não sei o que está acontecendo!

— Exatamente! — retruca Karen, aproximando-se do marido, mantendo os olhos fixos nos olhos dele. — É o que estou querendo dizer — murmura, agora com menos agressividade. — Também não sei o que está acontecendo. Menti sobre as luvas porque não sabia o que fazer. Assim como você.

Tom a encara, assustado.

— Não sei se você se lembra, mas essas luvas provavelmente são suas, e nós dois sabemos disso. *E estavam no local de um assassinato.* Por que você estava no local de um homicídio, Karen? — Como ela não responde, ele continua, perplexo: — Existe uma prova de que você estava no local de um crime horrível! — Ele não consegue acreditar que está dizendo isso para Karen, a mulher que ama. Agoniado, passa a mão no cabelo. — Está na cara que o detetive acha que foi você, que pensa que você matou esse homem. Foi? Você atirou nele?

— Não sei! — grita ela, em desespero. — É o melhor que posso fazer agora, Tom. Desculpe. Sei que não basta. Mas não sei o que aconteceu. Você precisa acreditar em mim.

Tom não sabe o que pensar. Sente a vida que conhece lhe escorrer pelas mãos.

Karen ainda mantém os olhos fixos nos dele.

— Você acha mesmo que eu sou capaz de matar alguém? Acha que sou capaz de cometer um *homicídio*?

Não, ele não consegue imaginá-la matando ninguém. A ideia é... ridícula. Absurda. Mas...

— Ele vai perseguir você — observa, meio agoniado. — Você viu como esse detetive é. Ele vai investigar e investigar até descobrir. Não importa que você não se lembre. Não precisa, a polícia vai descobrir o que aconteceu e *vai nos contar!*

Ele agora está quase gritando. Quer feri-la, porque está assustado, porque está irritado e já não pode mais confiar nela.

Karen está ainda mais pálida do que quando os detetives estavam aqui.

— Se você não acredita em mim... — Ela deixa a frase incompleta, em suspenso, esperando que ele proteste, que diga que acredita nela. O silêncio se prolonga, mas ele não fala nada. — Por que você não acredita em mim? — arrisca ela, afinal.

— E você ainda pergunta!

— É claro — insiste Karen, agora também irritada. — O que fiz para você achar que eu poderia matar alguém a sangue-frio? — Ela se aproxima. Tom a observa, mas não diz nada. — Você me conhece! Como pode achar que eu seria *capaz* de algo como assassinato? Não sei nada além do que você sabe que aconteceu naquela noite.

Agora o rosto dela está próximo do dele. Tom sente o perfume que emana de sua pele.

Ela continua:

— O que aconteceu com "Inocente até que se prove o contrário"? — Ela está ofegante, o rosto ainda próximo do dele. — Você não sabe o que aconteceu, então por que não pode acreditar que sou inocente nisso tudo? Por acaso isso seria mais inconcebível, mais *absurdo*, do que eu ter matado uma pessoa?

Agora é *ela* quem está quase gritando.

Tom a encara, seu coração está apertado. Durante todo o tempo em que a conhece e a ama, jamais teve motivo para duvidar dela, de nada. Tudo se resume àquela noite. O que aconteceu de fato? Ele não lhe deve alguma coisa por todos aqueles anos de completa confiança?

Ele balança a cabeça. Num murmúrio, diz:

— A polícia chega aqui acusando você... Você mente para eles... Não sei, Karen. — Ele se detém. — Eu te amo. Mas estou com medo.

— Eu sei — assente ela. — Também estou.

Por alguns instantes, nenhum dos dois fala nada. Então Karen diz:

— Talvez seja hora de consultarmos Jack Calvin de novo.

À noite, Karen está sentada na sala, com uma revista ignorada no colo. Amanhã, fará exatamente uma semana que aconteceu o acidente. Uma semana, e ela ainda não se lembra de nada.

Sua tarde foi horrível. A polícia — aquele detetive insensível — praticamente a acusou de assassinato. E Tom parece acreditar que pode ter sido ela.

Ela tem medo da polícia, teme o que eles possam descobrir. Teme o que o Dr. Fulton possa dizer a eles.

Percebe que está trincando os dentes e tenta relaxar. Está com o maxilar dolorido.

As fotografias... Karen não consegue apagar da mente aquelas imagens medonhas. Pensa em Tom, no escritório de casa, trancado com o trabalho que trouxe. Ou será que está apenas fingindo, como ela? Será que está sentado à mesa fitando a parede, sem também conseguir apagar da mente as imagens do homem morto? É provável. Ele pareceu nauseado ao ver as fotografias. E depois nem conseguiu mais olhar na cara dela.

Karen leva um susto quando olha pela janela. Vê dois homens de terno à porta da casa da frente. Mesmo na penumbra, reconhece os dois detetives. Apavorada, aproxima-se da janela, mantendo-se junto à parede. Dá uma espiada pela cortina.

Eles começaram a interrogar os vizinhos. Mas é claro.

Capítulo Quinze

Brigid fita o mundo pela janela. A noite cai. Ela passa muito tempo ali, com o tricô, vendo o que acontece lá fora.

Tem talento para o tricô: até publicou alguns de seus padrões. Escreve num blog do qual se sente muito orgulhosa, onde expõe seu trabalho. E tem inúmeras seguidoras. No alto da página inicial do blog, está escrito: "Tricotar não é coisa de velhinha!" E há uma foto de Brigid. Ela gosta dessa foto, que tirou com um fotógrafo profissional. Está bonita nela; é fotogênica.

Certa vez, tentou ensinar Karen a tricotar, mas viu que ela não estava de fato interessada em aprender. Não tinha paciência. As duas riram e chegaram à conclusão de que não era a praia de Karen. Mas, de qualquer forma, a amiga parecia apreciar a companhia de Brigid, mesmo as duas tendo interesses diferentes. Era uma pena que ela não gostasse de tricô. Tricotar com alguém era uma ótima maneira de fazer a pessoa falar, e Karen nunca foi de se abrir muito.

Mais cedo naquela tarde, Brigid foi à sua loja preferida, a Ponto a Ponto. A incrível lã Shibui roxa que havia comprado na última vez estava acabando. Sentiu-se animada assim que entrou na loja e viu todas as meadas de lã na parede, quase chegando ao teto. Tantas cores, tantas texturas, tantas possibilidades! Andou pela loja, admirando tudo, tocando e pegando várias lãs de diferentes pesos e cores, até os braços estarem cheios. Adora se esbaldar em lãs.

Estava alisando uma maravilhosa lã de merino laranja quando uma mulher que mal conhecia se aproximou.

— Brigid? — disse a mulher. — Que bom que encontrei você! Eu queria muito te falar que adorei seu último post no blog, sobre possibilidades de conserto em erros de tricô.

Brigid quase enrubesceu de prazer.

— Eu perdi um ponto, e aquele truque da agulha de crochê funcionou como mágica.

— Que bom que te ajudou! — exclamou Brigid, sorrindo.

Era muito gratificante dividir seu conhecimento e ser reconhecida. Fazia todo o cansativo trabalho de escrever no blog valer a pena.

A caixa, Sandra, também ficou feliz em vê-la.

— Brigid! Anda sumida. Precisa voltar para o grupo de tricô.

Brigid instintivamente olhou para as cadeiras dispostas em círculo, diante da vitrine da loja. Não estava pronta para voltar. Não iria aguentar. Eram mulheres demais tricotando peças infantis, e pelo menos três delas estavam grávidas. Além disso, sempre conversavam sobre o assunto. Ela não sabia se ia conseguir segurar a mágoa. Temia deixar escapar algo desagradável. Nenhuma daquelas mulheres iria entender. Era melhor se manter afastada.

— Em breve — mentiu. — Ando muito ocupada.

Ela não havia contado a ninguém dali que pedira demissão por conta do tratamento de fertilidade. Não queria falar sobre sua dificuldade em engravidar. Não precisava da piedade delas.

Pegou a enorme, e cara, bolsa de lãs e saiu às pressas da loja, não estava mais de bom humor.

Agora Brigid vê dois homens de terno na rua, batendo de porta em porta. Os homens param na casa ao lado. A dela será a próxima.

Quando ouve a campainha, deixa o tricô de lado para atender a porta. Está sozinha em casa: Bob está num velório, como sempre. Os dois homens aguardam na varanda. O mais alto, bonito, de marcantes olhos azuis, mostra o distintivo.

— Sou o detetive Rasbach — apresenta-se. — Esse é o detetive Jennings.

Brigid sente o corpo se retesar.

— Pois não?

— Estamos aqui por conta de uma investigação policial. Por acaso a senhora viu a sua vizinha Karen Krupp sair de casa na noite de 13 de agosto? A noite em que ela sofreu um acidente de carro.

— O quê? — pergunta ela, embora tenha ouvido perfeitamente bem.

— A senhora viu Karen Krupp sair de casa na noite de 13 de agosto? Ela sofreu um acidente de carro nessa noite.

— É, fiquei sabendo do acidente — confirma Brigid. — Ela é minha amiga.

— A senhora a viu sair de casa naquela noite? — insiste o detetive.

Brigid balança a cabeça.

— Não.

— Tem certeza? A senhora mora em frente. Não a viu sair?

— Não. Cheguei tarde em casa. Por quê? — Ela olha de um detetive para o outro. — Que pergunta estranha.

— Gostaríamos de saber se ela estava sozinha.

— Desculpem, não faço ideia — responde Brigid, com educação.

— Talvez seu marido estivesse em casa naquela noite? — supõe o detetive. — Ele está aí?

— Não, não está. Quase nunca está em casa à noite. Acho que também estava fora no dia 13.

O detetive lhe entrega um cartão.

— Se por acaso seu marido estava em casa e viu alguma coisa, a senhora pode pedir a ele que nos telefone?

Ela observa os dois detetives voltarem para a rua e se dirigirem à casa seguinte.

Nem Karen nem Tom conseguem dormir, embora ambos finjam. Tom está deitado de lado, virado para a parede, sentindo-se enjoado. Fica remoendo a tarde com os detetives. Recorda a naturalidade com que a esposa mentiu sobre as luvas. Ele, por sua vez, mentiu mal, como todos puderam notar.

Sente Karen se mexer, inquieta, no outro lado da cama. Por fim, ela se levanta e sai do quarto. Ele agora está acostumado com isso, com ela se levantando no meio da noite. Agora isso é um alívio. Quando ouve a porta do quarto se fechar, vira-se de barriga para cima, fitando o teto.

Mais cedo, avistou, de seu escritório em casa, os detetives andando pela rua. Karen também deve tê-los visto. Mas nenhum dos dois tocou no assunto.

Ele se sente péssimo quando pensa na polícia investigando sua mulher, detesta a si mesmo pela desconfiança cada vez maior que sente. Agora está sempre vigiando-a, imaginando o que ela terá feito.

E não consegue deixar de temer: *O que a polícia vai descobrir?*

Capítulo Dezesseis

NA MANHÃ SEGUINTE, Karen pede a Tom que a deixe no escritório de Jack Calvin a caminho do trabalho. Por sorte, Calvin conseguiu um horário para atendê-la. Tom tem uma reunião importante à qual não pode faltar. Ou pelo menos é o que diz. Karen fica imaginando se a verdade mesmo é que ele não consegue ou não quer mais lidar com aquilo. Ou talvez pense que ela será mais sincera com o advogado se ele não estiver presente. Mas ela não vai dizer ao advogado nada que o marido não saiba. Ela só quer saber o que deve fazer.

Tom se inclina para lhe dar um beijo no rosto ao se despedir, mas não a olha nos olhos. Ela avisa que voltará de táxi para casa. Karen fica parada na calçada por um instante, vendo o marido se afastar. Então se dirige ao prédio. Ao entrar, hesita diante dos elevadores, mas acaba apertando o botão. Quando chega ao escritório de advocacia, engole o medo e abre a porta.

Dessa vez, precisa esperar mais do que na última visita e começa a se deixar vencer pelo nervosismo. Quando finalmente entra para falar com Jack Calvin, sente a tensão nos ombros e no pescoço.

— Você voltou! — exclama o advogado, entusiasmado. — Tão rápido! Isso significa que se lembrou de alguma coisa?

Ele sorri para Karen, mas ela está séria. Acomoda-se na cadeira.

— Como posso ajudá-la? — pergunta Calvin, de maneira profissional.

— Ainda não me lembro de nada daquela noite — começa Karen.

Ela se pergunta o que ele deve estar pensando. Certamente acha que ela está aqui para dizer algo que não podia falar na frente do marido, um caso sórdido com outro homem no lado mais violento da cidade. Ela será obrigada a decepcioná-lo.

— Tom tinha uma reunião agora de manhã à qual não podia faltar.

Ele assente, educado.

— Tudo que eu disser a você está protegido pela prerrogativa de confidencialidade, não é? — pergunta Karen, olhando nos olhos dele.

— Isso mesmo.

Ela engole em seco antes de continuar:

— A polícia foi até a minha casa ontem.

— Sei.

— Achei que fosse por causa do acidente.

— Não era?

— Não. — Ela se detém. — Estão investigando um assassinato.

O advogado franze a testa, aguça os olhos. Pega um bloco de papel amarelo na gaveta, puxa uma caneta sofisticada do porta-lápis e, com tranquilidade, diz:

— É melhor você me contar tudo.

— Foi horrível. — A voz embarga. Ela fica nauseada ao se lembrar das fotografias. Sente as mãos trêmulas em seu colo. — Eles nos mostraram fotos do cadáver.

Ela discorre brevemente sobre a visita dos detetives.

— Não reconheci o homem morto — diz, observando o advogado, esperando que, de alguma forma, ele a salve daquilo.

— Você estava dirigindo acima do limite de velocidade, ultrapassando sinais vermelhos, perto de onde aconteceu um assassinato, possivelmente por volta da hora em que ocorreu o crime — observa

Calvin. — Entendo por que os detetives queiram conversar com você. — Ele se inclina para a frente, a cadeira rangendo com o movimento. — Mas existe alguma outra coisa que vincule você ao crime? Porque, se não existir nada, não há com o que nos preocuparmos. Aquela região é perigosa, não tem nada a ver com você. Ou tem?

Ela engole em seco mais uma vez. Endireita-se na cadeira e conta o resto:

— Encontraram um par de luvas.

Ele a observa com o olhar atento.

— Continue.

Ela respira fundo.

— Encontraram um par de luvas de borracha num estacionamento perto do local onde aconteceu o assassinato. — Ela hesita antes de acrescentar: — Tenho certeza de que são minhas.

O advogado a encara.

— Nossas luvas de borracha sumiram. — Ela se detém. — Não sei o que aconteceu com elas. As luvas são meio inconfundíveis, cor-de-rosa, com uma estampa floral no alto.

— Você *disse* a eles que as luvas tinham sumido? — pergunta Calvin.

Pela entonação da pergunta, dá para perceber que ele acha que isso teria sido uma tremenda tolice.

— Não sou tão idiota assim — responde ela, com rispidez.

— Ótimo — diz o advogado, aliviado. — Ótimo.

— O Tom mentiu por mim — continua Karen, sentindo a máscara da tranquilidade cair. — Disse que não tínhamos perdido nenhuma luva de borracha. Mas ficou na cara que estava mentindo.

— Regra geral: nunca minta para a polícia. Não diga nada. Melhor ainda: ligue para mim.

— Eles disseram que não precisam provar que as luvas são minhas. Aparentemente, passei por cima delas no estacionamento, de carro. Havia marcas de pneu nas luvas. Com isso eles podem garantir que eu, ou pelo menos o meu carro, esteve perto do local do crime. Têm uma prova disso.

Calvin a encara, o rosto sério.

— Quem é o detetive responsável pela investigação, o que descobriu isso?

— O nome dele é Rasbach — responde Karen.

— Rasbach — repete Calvin, pensativo.

— Não sei o que fazer — murmura ela. — Ontem à noite, eles andaram a minha rua inteira, os detetives, para conversar com os vizinhos.

O advogado se inclina para a frente e crava os olhos nos olhos dela.

— Não faça nada. Não fale com os detetives. Se eles quiserem conversar com você, ligue para mim. — Ele pega outro cartão de visita, escreve um número no verso. — Ligue para esse número se não conseguir me contatar pelos outros. Nesse aqui você sempre vai conseguir falar comigo.

Ela pega o cartão, agradecida.

— Você acha que eles têm o suficiente para me indiciar?

— Pelo que você me disse, não. Você estava num estacionamento, perto do local de um crime, possivelmente por volta da hora do assassinato. Estava correndo, sofreu um acidente. Talvez tenha visto alguma coisa. Só isso. A pergunta é a seguinte: o que mais eles vão descobrir?

— Não sei — lamenta-se ela. — Ainda não me lembro de nada daquela noite.

Calvin se demora fazendo algumas anotações. Por fim, ergue os olhos e diz:

— Detesto tocar nesse assunto, mas vou precisar de um sinal maior, por via das dúvidas.

Por via das dúvidas. Caso ela seja indiciada por assassinato, pensa Karen, procurando o talão de cheques na bolsa.

— Agora, uma pergunta — murmura Calvin. — O que você estaria fazendo com um par de luvas de borracha?

Ela evita deliberadamente os olhos dele, procurando o talão de cheques na bolsa.

— Nem imagino.

Capítulo Dezessete

RASBACH INVESTIGOU O PASSADO de Karen Krupp. Com exceção do recente acidente em que dirigia acima do limite de velocidade, ela é uma cidadã exemplar. Não há nenhuma violação registrada em sua habilitação de motorista. Nem sequer uma multa por estacionar em local não permitido. Tem um sólido histórico de trabalho, primeiro em empregos temporários, depois contratada pela Funerária Cruikshank, onde é escriturária há dois anos. Os impostos estão em dia. E não há antecedentes criminais. Trata-se de uma dona de casa tranquila do norte do estado de Nova York.

Mas então ele aprofunda a investigação. Sabe que o nome de solteira dela era Karen Fairfield, conhece a data e o local de nascimento: Milwaukee, Wisconsin. Põe-se a fazer algumas pesquisas básicas.

No entanto, não encontra muita coisa sobre Karen Fairfield, de Wisconsin. Não há nenhum registro de conclusão de curso, nem mesmo de matrícula em escolas de ensinos fundamental e médio. Ela tem certidão de nascimento e número de inscrição na Previdência Social. Habilitação de motorista do estado de Nova York. Mas, fora isso, não existe nada sobre Karen Fairfield com a data de nascimento informada. É como se ela tivesse vindo ao mundo aos 30 anos e se mudado para o estado de Nova York.

Rasbach se recosta na cadeira. Já viu isso antes. Não é tão raro quanto uma pessoa comum poderia imaginar que fosse. As pessoas "desaparecem" o tempo todo para refazer a vida em outro lugar, com uma nova identidade. Karen Fairfield é claramente uma ficção. É um recomeço de vida. A esposa de Tom Krupp não é quem diz ser.

Então quem é ela?

Rasbach irá descobrir, é só uma questão de tempo. Para na mesa de Jennings para contar o que descobriu. O colega solta um assobio.

— Também tenho novidade — anuncia. — Ela recebeu uma ligação.

Ele entrega a Rasbach o registro telefônico do casal.

Rasbach estuda a informação.

— Ela recebeu um telefonema às oito e dezessete da noite de 13 de agosto, quando aconteceu o acidente — observa, erguendo os olhos para Jennings.

— De um celular pré-pago — frisa Jennings. — Um telefone irrastreável — acrescenta, frustrado. — Não sabemos quem ligou, nem de onde.

— Não se usa celular irrastreável sem um bom motivo — considera Rasbach, contraindo os lábios. — No que será que a nossa dona de casa estava metida? — murmura.

Ele não fica surpreso em saber que ela recebeu um telefonema antes de sair às pressas de casa. Já esperava por isso. Porque, na noite anterior, havia encontrado duas testemunhas que a viram saindo de casa. Uma delas, mãe de três filhos, que mora do outro lado da rua, tinha visto Karen Krupp descer correndo as escadas da varanda de casa para entrar no carro, evidentemente com pressa. Disse que Karen estava sozinha. Outra vizinha se lembrava de tê-la visto porque Karen estava dirigindo rápido demais, e havia crianças brincando lá fora. Também tinha certeza de que estava sozinha no carro.

Animado, Rasbach diz:

— Ela recebe uma ligação às oito e dezessete e sai correndo de casa, deixando os preparativos do jantar pela metade, sem trancar a porta, sem levar a bolsa e o celular...

— A ligação foi para o telefone de casa, não para o celular — lembra Jennings. — O marido chegou tarde do trabalho. A ligação poderia ser para qualquer um dos dois. Talvez ambos estejam envolvidos.

Rasbach assente, pensativo.

— É melhor investigarmos Tom Krupp também.

Karen Krupp deixa o escritório de advocacia e sai para o calor da rua. Agora que está mais uma vez sozinha, sem ter de fingir nada nem para o marido nem para o advogado, o que sente é pânico. Acaba de deixar um sinal enorme com o advogado, *caso seja indiciada por assassinato.*

Está apavorada. O que deve fazer? O instinto é fugir.

Ela sabe desaparecer.

Mas dessa vez é diferente. Não quer abandonar Tom. Ama o marido. Mesmo que já não tenha certeza em relação aos sentimentos dele.

Tom finalmente volta para sua sala, depois de uma reunião insuportavelmente demorada. Fecha a porta e se senta à mesa. Tem dificuldade para se concentrar e está deixando tudo atrasar. Ainda bem que a sala não é de vidro, senão as pessoas veriam como está trabalhando pouco, passando o tempo andando de um lado para o outro, olhando pela janela.

Quase imediatamente, o celular vibra. Ele pega o aparelho. Brigid. Droga. Por que Brigid está ligando para ele?

— Oi, Brigid.

— Você está podendo falar? — pergunta ela.

Então não é uma emergência, conclui Tom. Ele relaxa um pouco.

— Estou. O que foi?

— Preciso contar uma coisa a você — diz Brigid.

Algo na voz dela sugere que ele não vai gostar do que está prestes a ouvir. Sente a tensão crescer.

— O que foi?

— Era para eu ter contado antes, mas, com o acidente da Karen, acabei me esquecendo.

Tom só quer que ela vá direto ao ponto.

— A polícia esteve aqui ontem à noite para fazer umas perguntas.

Tom sente o suor brotar na pele. Fecha os olhos. Não quer ouvir o que ela tem a dizer, seja o que for. Quer desligar.

— Não contei aos detetives — continua ela —, mas acho que você deveria saber. No dia em que a Karen sofreu o acidente, tinha um homem espiando a sua casa.

— Como assim? — surpreende-se Tom.

— Ele ficou olhando pela janela, contornou a casa. Eu estava cuidando do jardim, então fiquei de olho nele. Estava a ponto de telefonar para a polícia quando ele veio conversar comigo. Disse que era um velho amigo.

— Meu? — pergunta Tom, sem conseguir imaginar quem seria.

— Não, da Karen.

Tom sente o medo se acumular em seu peito. O coração bate acelerado.

— Ele disse o nome?

— Não. Só falou que a conhecia *de outra vida* — responde Brigid, ressaltando as palavras.

Tom não diz nada. Está perplexo.

— Não quero deixar você assustado, e você sabe que a Karen e eu somos muito próximas — continua Brigid, a voz revelando preocupação —, mas foi um comentário bem estranho, não acha?

De outra vida.

— Como ele era? — Tom consegue perguntar.

— Altura mediana, corpo normal, eu acho. Bonito, cabelo preto. Bem-vestido.

Cabelo preto. Faz-se uma longa pausa, durante a qual Tom reflete, a mente agitada.

Por fim, Brigid diz:

— Sempre me pareceu estranho que a Karen nunca fale nada de seu passado, pelo menos comigo. Talvez fale com você? — Como Tom permanece em silêncio, ela acrescenta, com todo o cuidado: — Detesto sugerir isso, sei o que você está passando por causa do acidente e tal, mas...

— Mas o quê? — pergunta Tom.

— E se houver alguma coisa no passado da Karen que ela esteja escondendo de nós?

Tom quer desligar, mas não consegue se mexer.

— Como assim?

— Pode parecer loucura, mas vi um programa na televisão há pouco tempo que falava sobre pessoas que estão fugindo do passado. Elas desaparecem e assumem uma nova identidade. Talvez... talvez seja esse o caso dela.

— Que absurdo! — protesta Tom.

— Será? — insiste Brigid. — Aparentemente, as pessoas fazem isso o tempo todo. Tem gente na internet que ajuda quem quiser, por um preço.

Tom aperta o telefone, cada vez mais apreensivo.

— Elas recebem uma identidade nova e desaparecem, recomeçam a vida em outro lugar. Mudam de aparência. Viram criaturas perfeitas. Não querem ser paradas pela polícia por excesso de velocidade, não querem ser notadas.

Horrorizado, Tom se lembra de como Karen sempre faz questão — ou fazia, até a noite do acidente — de cumprir todas as regras. E se Brigid tiver razão? E se sua esposa estiver usando uma identidade falsa? Por que ela faria uma coisa dessas?

— Tom, desculpe, talvez eu não devesse ter dito nada. Foi por causa dessa droga de programa de televisão! Quando aquele homem perguntou por ela, o pensamento me ocorreu.

Ele achava que nada mais poderia abalá-lo depois dos acontecimentos da última semana, mas isso... a sugestão de que sua mulher pudesse ser outra pessoa? É mais do que ele é capaz de suportar.

— Brigid, preciso desligar — diz, de repente.

Ele se levanta da cadeira e começa a andar pela sala, tentando processar essa nova possibilidade terrível. Um homem de cabelo preto estava rondando a casa deles naquela manhã, um homem que disse conhecer Karen *de outra vida*. E se Brigid tiver razão, e Karen não for quem diz ser? A polícia vai descobrir. Aquela fotografia hedionda... O homem morto tinha cabelo preto. Tom se sente nauseado ao se lembrar.

Talvez esteja apenas sendo paranoico.

Ou talvez esteja começando a enxergar as coisas como elas realmente são.

Capítulo Dezoito

ASSIM QUE PÕE os pés em casa, à noite, Tom traz dentro de si um emaranhado de sentimentos negativos: raiva, desconfiança, medo, mágoa. Sabe que fica nítido para Karen que alguma coisa mudou. Mas não quer mencionar o telefonema de Brigid.

— O que aconteceu? — pergunta ela, depois do jantar praticamente silencioso.

— Essa é uma pergunta meio besta, dadas as circunstâncias — responde Tom, com frieza. — Talvez eu não goste de viver apavorado com a possibilidade de a polícia aparecer na minha casa para prender minha mulher.

Ele não pretendia dizer isso. Simplesmente saiu. Vê o rosto dela ficar branco. Quer acusá-la, dizer que é tudo culpa dela. Mas apenas se afasta de Karen.

— Você não perguntou como foi a minha conversa com o advogado — observa ela, quase com a mesma frieza.

Ele não se esqueceu de perguntar, apenas prefere não saber.

— Como foi? — pergunta afinal, temendo a possível resposta.

— Precisei deixar um sinal maior.

Tom solta uma risada amarga.

— Por que não estou surpreso?

— Você preferia que eu não tivesse deixado? — indaga ela, com rispidez.

Como o casamento deles se deteriorou em apenas uma semana! Tom jamais teria acreditado nisso se alguém tivesse lhe contado. Agora quer pressioná-la contra a parede e gritar exigindo que ela pare de mentir e diga a verdade. Mas não faz isso. Dá meia-volta e se retira da sala.

Não consegue se livrar da desconfiança de que Karen se lembra do que aconteceu naquela noite. Está magoado, sente-se manipulado.

E, no entanto, ainda a ama. Como tudo seria mais fácil se não a amasse!

Brigid está sentada no escuro, o tricô largado no colo. Não se deu ao trabalho de acender a luz. Bob está novamente num velório. Ela conhece outras mulheres cujos maridos também são empresários, que às vezes os acompanham aos eventos — compram vestido novo, sapatos novos —, mas, no caso delas, os eventos são jantares e festas, não velórios para os parentes do morto, com um caixão aberto no canto da sala e o cheiro nauseante de flores por toda parte. Não, obrigada.

Ela passou a detestar flores, sobretudo *arranjos* de flor. Sobretudo arranjos de flor *para funerais*. Antes gostava de ganhar buquês do marido no aniversário de casamento, mas depois de alguns anos pediu a ele que não levasse mais flores para ela. Começou a desconfiar de que ele lhe dava as flores da funerária. Não chegou de fato a acusá-lo e não tinha certeza disso. Mas é a cara dele fazer esse tipo de coisa. Bob é um pouco avarento com algumas coisas. Mas não reclamou do custo dos tratamentos de fertilidade.

O que ela queria era que ele a levasse para passar uns dias fora, em Veneza, Paris, algum lugar cheio de vida, longe do trabalho ou do que quer que o mantenha tão ocupado. Mas ele sempre argumenta que não pode passar muito tempo longe dos negócios. Portanto, agora, uma vez por ano, ela ganha um par de brincos sem graça que nunca tem oportunidade de usar.

Não que eles não tenham dinheiro para viajar. A Funerária Cruikshank cresceu, atualmente são três unidades no norte do estado, e Bob anda mais ocupado do que nunca.

Mas ela, não. Poderia trabalhar para o marido, mas, quando ele sugeriu isso, Brigid respondeu que preferiria morrer. Ele ficou ofendido.

Os difíceis tratamentos de fertilidade, em função dos quais ela havia largado o emprego, não funcionaram. E agora, tirando o blog de tricô, seus dias são vazios. Ela tem esperança de que consiga adotar uma criança. Teme que a profissão de Bob os prejudique, mas eles não *moram* na funerária. São um casal normal, com uma casa normal. A funerária é algo à parte. Os dois nem sequer conversam muito a respeito. Ele sabe que a esposa detesta. O que incomoda Brigid é que, quando eles se casaram, Bob era corretor de seguros, tinha uma profissão respeitável. Mas possuía espírito empreendedor, e a oportunidade surgiu. É um negócio rentável, isso ela não pode negar. Só queria que o marido fosse bem-sucedido em outra área.

Brigid volta os olhos para a casa de número 24, a residência de Karen e Tom. No que ele estará pensando depois de seu telefonema? Será que acha, assim como ela, que Karen está escondendo alguma coisa que aconteceu no passado? Sempre a deixou intrigada o fato de Karen ser tão reservada, sobretudo porque ela diz que Brigid é sua melhor amiga. As tentativas de fazê-la se abrir nunca deram em nada.

E Tom... Toda noite, Brigid vê a luz do escritório dele, no segundo andar da casa, acesa. Ele trabalha muito, assim como Bob, mas, pelo menos, quando trabalha à noite, ele o faz em casa. Karen não passa as noites sozinha, como ela.

Talvez ela devesse levar um agrado para eles. Por acaso, fez brownie à tarde. Não quer comer tudo. E não está tão tarde assim. Decidida, vai ao quarto mudar de roupa.

Escova o cabelo castanho comprido, na altura dos ombros, partido no meio, passa um batom vermelho e se olha no espelho. Treina seu sorriso mais encantador — o sorriso que faz seus olhos se iluminarem — e pega os brownies na cozinha.

Capítulo Dezenove

KAREN ESTÁ NA COZINHA quando ouve a campainha tocar. Fica paralisada. Quando escuta a campainha de novo, ainda não consegue se mexer. Ouve Tom andando no segundo andar, certamente tentando entender por que ela não atende à porta.

Quando a campainha toca pela terceira vez, ela enfim sai, relutante, da cozinha para atender. Vê Tom descendo a escada. Ele para no meio do caminho. Ela nota a apreensão que irradia dele. Sente a mesma apreensão ao abrir a porta.

É o detetive Rasbach e seu colega, o outro detetive cujo nome ela não recorda. Sente a boca ficar seca. Tenta manter a calma. Lembra-se de que tem um advogado. Lembra-se do cartão dele na carteira. Pode telefonar para ele, se for preciso.

Quer bater a porta na cara do detetive.

— Podemos entrar, Sra. Krupp? — pergunta Rasbach, com educação.

Ela o vê lançando um olhar para seu marido, que ainda está parado como uma sentinela na escada.

Ela reflete. Tem apenas um ou dois segundos para tomar a decisão certa. Calvin lhe pediu que não conversasse com a polícia. Mas ela teme que, se não os receber, eles voltem com um mandado de prisão.

Ouve Tom descer o restante da escada e se aproximar.

— O que vocês querem? — pergunta ele, com certa agressividade.

— Prefiro não fazer isso aqui fora — responde Rasbach.

Karen abre a porta e deixa os detetives entrarem, evitando o olhar do marido.

Eles se dirigem à sala, como no outro dia.

— Por favor, sentem-se — diz Karen.

Ela olha para Tom e fica alarmada com o que vê estampado em seu rosto. Ele não sabe fingir; neste momento, parece temer que o mundo acabe.

Faz-se um silêncio mortal. Rasbach não tem pressa. Ela não pode se deixar intimidar. Aguarda.

Por fim, Rasbach começa.

— A senhora se lembrou de alguma coisa sobre a noite do acidente?

— Não — responde Karen, com educação. Depois de alguns instantes, acrescenta: — Parece que isso é muito comum nesse tipo de caso.

Então ela pensa que talvez não devesse ter dito isso. Parece que leu a frase num livro.

— Entendi — assente o detetive. — Posso perguntar, por curiosidade, que medidas a senhora está tomando para recuperar a memória?

— O quê? — surpreende-se Karen, endireitando-se no sofá.

— Imagino que, se não consegue se lembrar do que aconteceu naquela noite, a senhora esteja tomando alguma providência para resolver o problema — explica Rasbach.

— Que tipo de providência? — pergunta ela, cruzando os braços. — Não existe um remédio para recuperar a memória.

— A senhora está se consultando com alguém?

— Não.

— Por que não?

— Porque acho que não vai adiantar nada. Minha memória vai voltar quando tiver que voltar.

— É o que a senhora acha.

— Foi o que o médico disse.

Ela percebe que está muito na defensiva. Respira fundo.

A verdade é que ela não se atreveu a consultar um especialista, como, por exemplo, um profissional que trabalhe com hipnose, porque não pode correr o risco de que outra pessoa ouça o que aconteceu naquela noite. Precisa descobrir por conta própria.

Ele muda de tática.

— Sabemos que a senhora saiu de casa sozinha na noite do acidente. Temos testemunhas que a viram saindo de casa.

— Entendi — diz Karen.

Ela sente um olhar penetrante de Tom.

— Também sabemos que a senhora recebeu uma ligação naquela noite, às oito e dezessete — continua Rasbach.

— Recebi? — pergunta ela.

— Recebeu. No telefone de casa. Conferimos o registro telefônico.

— Vocês podem fazer isso? — intervém Tom.

— Podemos — responde Rasbach. — Ou não teríamos feito. Temos um mandado para isso. — Ele se vira novamente para ela. — Quem a senhora acha que teria telefonado?

— Nem imagino.

— Nem imagina — repete Rasbach.

Como se já não conseguisse suportar a tensão, Tom explode:

— Você evidentemente sabe quem telefonou para ela, então por que não para de enrolação e diz logo?

Rasbach volta a atenção para o marido.

— Na verdade, não sabemos quem telefonou — admite. — A ligação foi feita de um celular pré-pago. Não podemos rastrear esse tipo de chamada. — Ele volta a atenção novamente para Karen e se inclina para a frente, quase ameaçador, na opinião dela. — Mas imagino que a senhora saiba.

Com essa nova informação, Karen sente os olhares dos detetives e do marido se cravarem sobre ela. O coração bate acelerado.

— É meio inusitado — continua Rasbach. — A senhora não acha?

Ela pensa no cartão do advogado na carteira. Foi um erro recebê-los.

— É interessante que tenham ligado para o telefone de casa, e não para o celular — prossegue o detetive.

Ela o encara, mas não diz nada. O que poderia dizer?

— Talvez a ligação não fosse para a senhora — considera Rasbach.

A sugestão a surpreende. O detetive volta a atenção para Tom, que parece tão aturdido quanto ela.

— Como assim? — indaga ele.

— Talvez a ligação fosse para o senhor, e a sua esposa tenha atendido — explica Rasbach.

— O quê? — murmura Tom, evidentemente surpreso.

— A ligação foi às oito e dezessete. O senhor geralmente não está em casa a essa hora? — pergunta o detetive.

Karen observa Rasbach, aliviada por não ser o foco de atenção dos policiais, mesmo que por um instante. Eles que percam tempo investigando Tom. Não encontrarão nada. Ela começa a relaxar um pouco. Está claro que eles não *sabem* nada. Estão jogando verde. Logo irão embora, sem nada além do que já tinham.

— É, geralmente chego por volta das oito da noite, ou antes. Mas ando muito ocupado no trabalho — responde Tom, na defensiva. O detetive aguarda. — Você acha que alguém teria ligado para *mim* de um celular pré-pago e irrastreável?

— É possível — assente Rasbach.

— Que ridículo! — protesta Tom. Como Rasbach permanece em silêncio, apenas fitando-o com seus penetrantes olhos azuis, Tom pergunta: — Você acha que alguém ligou para *mim* de um celular desses, minha mulher atendeu o telefone e saiu correndo de casa? Por que ela faria isso?

Karen observa Tom e Rasbach, espantada com esse novo desdobramento.

— Exatamente. Por quê? — ecoa Rasbach.

Tom perde a paciência.

— Acho que vocês estão perdendo seu tempo. Sem falar do nosso tempo. Talvez fosse melhor vocês irem embora.

— O senhor tem alguma coisa a esconder? — pergunta Rasbach, como se já soubesse a resposta.

Karen vira os olhos assustados para o marido.

Quando vê o carro na entrada da casa de Tom e Karen, Brigid titubeia, com o prato de brownie na mão. Conhece aquele carro. Os detetives voltaram.

Brigid fica ávida para saber o que está acontecendo.

Decide contornar a casa e deixar o brownie junto à porta dos fundos. Não quer incomodar ninguém. Faz calor e, assim como ela esperava, a porta de vidro está aberta para que entre ar nos cômodos. Apenas a porta de tela se encontra fechada. Se ficar parada, no escuro, talvez consiga ouvir o que estão dizendo na sala, principalmente se abrir a porta para deixar o brownie ali dentro, talvez em cima da mesa da cozinha...

Capítulo Vinte

Tom sente a fúria deixar seu rosto quente. Está irritado com o detetive, entrando na casa dele com um monte de acusações dissimuladas. Não precisa tolerar aquilo.

— Não, detetive — responde. — Não tenho nada a esconder.

— Tudo bem — assente Rasbach.

— Por que você sugeriria isso? — murmura Tom, imediatamente se arrependendo.

Rasbach pergunta:

— O senhor não está escondendo nada?

— Claro que não — responde Tom.

Rasbach o observa com atenção.

— Nós analisamos a cronologia da noite do acidente. Sua mulher sofreu um acidente, perto do local do assassinato, aproximadamente às oito e quarenta e cinco da noite. O senhor disse à atendente da polícia que chegou do trabalho por volta das nove e vinte e sua esposa não estava em casa, a porta estava destrancada, e a luz, acesa.

— Isso mesmo — confirma Tom.

Rasbach para por um instante antes de continuar:

— Conversamos com a equipe da segurança do seu escritório, que nos informou que o senhor saiu do trabalho às oito e vinte da noite. São só 15 minutos até aqui. Então onde o senhor estava durante esse intervalo de uma hora? Trata-se de um período crítico na investigação, das oito e vinte às nove e vinte.

Tom de repente se sente aéreo. Karen o encara, nitidamente assustada, então ele desvia os olhos. Está transpirando; sente o suor lhe empapar a camisa debaixo das mangas.

— Além do mais — acrescenta Rasbach —, só temos a sua palavra de que o senhor chegou em casa às nove e vinte. O senhor só começou a telefonar para as amigas da sua mulher... — ele consulta o caderno — ... às nove e quarenta, se não me engano. E telefonou para a polícia logo depois. — Ele aguarda, mas Tom não diz nada. — Onde o senhor estava?

— Eu estava... dirigindo por aí — balbucia Tom, vacilando.

— O senhor ficou dirigindo por aí 45 minutos além do tempo que leva para chegar até aqui — observa Rasbach, fulminando-o com os olhos. — Por quê?

Tom quer esganar o detetive, mas respira fundo, tentando se acalmar.

— Eu precisava pensar, espairecer. Tive um dia complicado.

— Não queria voltar logo para casa, para ficar com a sua mulher?

Tom encara o detetive, perguntando-se o que ele sabe. Neste momento, odeia-o profundamente. Essa tranquilidade, as insinuações...

— Claro que queria — responde. — Mas... dirigir me ajuda a desanuviar a mente. Me ajuda a relaxar. Meu trabalho é muito estressante.

Parece uma desculpa fraca, mesmo aos seus ouvidos. Ele vê Rasbach franzir a testa. É algo que o detetive faz, para impressionar, e Tom o detesta por isso.

— O senhor parou em algum lugar? Alguém o viu?

Tom começa a balançar a cabeça, mas logo se detém.

— Parei uns minutos para me sentar a uma mesa, na margem do rio. Para respirar um pouco de ar fresco. Acho que ninguém me viu.

— O senhor se lembra de onde, exatamente?

Tom pensa.

— Perto da Branscombe, eu acho, do estacionamento que tem lá.

Ele não consegue olhar para Karen.

Rasbach anota a informação, lança um último olhar para ele e se levanta, guardando o caderno.

Finalmente estão indo embora, pensa Tom. *Já causaram estragos suficientes por hoje.*

Karen acompanha os detetives à porta, enquanto Tom permanece sentado na sala, fitando o chão, preparando-se para encarar a esposa.

Karen sabe que Tom não gosta de dirigir. Dirigir não o deixa relaxado. Pelo contrário: deixa-o irritado. Ela sente a cabeça girar. Precisa perguntar.

— Por que você passou uma hora dirigindo naquela noite?

— Por que você bateu de carro num poste? — rebate ele.

Ela se sobressalta. De súbito, Tom diz:

— Vou sair.

Ela o observa se afastar. Encolhe o corpo quando ele bate a porta.

O que Tom estava fazendo naquela noite? O detetive não é idiota. Será possível que Tom esteja mentindo para ela? Que *ele* esteja escondendo alguma coisa?

Agitada, ela se dirige à cozinha para pegar um copo de água gelada e imediatamente vê o prato de brownie em cima da mesa. Detém-se. Reconhece o prato. É da Brigid. A amiga esteve ali para deixar o doce. Aquele prato não estava em cima da mesa da cozinha antes de os detetives chegarem. Decerto ela o deixou enquanto os policiais conversavam com os dois na sala. Karen sente um arrepio. Será que Brigid ouviu alguma coisa?

Ela detesta que tudo esteja saindo do controle. Fecha os olhos, respira fundo e se obriga a relaxar.

Vai ligar para Brigid amanhã, para lhe agradecer. Pode confiar em Brigid. Irá conversar com ela e descobrir o que a amiga ouviu.

Enche um copo de água, leva o prato de brownie para a sala e espera Tom voltar. *O que ele estaria escondendo?* Tom sempre foi um livro aberto. Ela não acredita que o marido esteja escondendo alguma coisa. Onde ele esteve durante aquela hora? E por que não quer lhe contar?

Tom entra no carro e vai para um bar do bairro, o tipo de lugar onde times de beisebol da região vão beber depois de uma partida. Ele precisa arejar um pouco a cabeça. Senta-se a uma mesa vazia, pede uma cerveja e se debruça sobre ela: não quer conversar com ninguém.

Acabou se metendo numa confusão. Aliás, quanto mais pensa, mais complicada a situação lhe parece. Não queria dizer aos detetives o que estava fazendo naquela noite, principalmente na frente de Karen. Porque sabe o que ficaria parecendo. Só que agora tudo vai vir à tona e parecer ainda pior.

Ele havia combinado de se encontrar com Brigid naquela noite, às oito e meia, à margem do rio, entre o centro da cidade e o bairro em que moram, no trecho menos movimentado, onde as árvores garantem certa privacidade. É onde os dois se encontravam às vezes, na época que tiveram um breve caso, equivocado e caótico.

Brigid havia telefonado para ele naquele dia, na noite do acidente, pedindo que se encontrassem. Não quis dizer o motivo. Mas deu bolo. Tom esperou mais de meia hora, no escuro, mas ela não apareceu.

Ele ainda não sabe por que Brigid queria encontrá-lo naquela noite. Quando lhe perguntou, durante aquele primeiro telefonema — enquanto tentava descobrir onde Karen estava —, o que ela queria e o porquê de não ter aparecido, ela disse que a irmã teve um problema, que aquilo podia esperar. De qualquer forma, naquele momento, ele estava mais preocupado em encontrar Karen.

Sabe que deveria ter contado à esposa sobre a história dele com Brigid desde o começo. Agora terá de contar aos detetives, e vai parecer que tinha combinado de se encontrar com a vizinha naquela noite porque queria, que estava escondendo tudo de Karen.

Sabe que o certo seria contar à mulher agora, hoje, contar tudo, mas não está no clima para confidências. Talvez tivesse mais vontade de dizer a verdade se ela o fizesse primeiro.

Quando Tom volta para casa, Karen o observa. Eles agora estão desconfiados um do outro.

— Quer um? — pergunta ela, depois de alguns instantes, indicando o prato de brownie em cima da mesinha de centro.

— De onde veio isso? — pergunta Tom, sentando-se.

— É o brownie da Brigid.

— Ela passou aqui?

— Deve ter passado.

Tom a encara.

— Como assim?

— Quando você saiu, fui à cozinha, e o prato de brownie estava lá, em cima da mesa.

— O quê? — surpreende-se Tom. — Quando foi que ela veio aqui?

— Imagino que quando estávamos conversando com os detetives — responde Karen.

— Merda...

— Vou falar com ela amanhã. Tentar explicar.

Tom passa a mão no rosto.

— Como você vai explicar a presença de dois detetives na nossa sala fazendo perguntas sobre uma investigação de assassinato?

Karen nem sequer olha para ele.

— Vou dizer a verdade. Houve um assassinato naquela noite, perto de onde sofri o acidente. Não tem nada a ver comigo. Mas a polícia está desesperada e não tem nenhuma pista. Eles vão ver isso quando se derem conta de que não há nada que ligue as duas coisas.

Parece que ela se esqueceu das luvas, considera Tom, e também da marca do pneu. Além do telefonema misterioso. Está simulando uma segurança que de fato não tem.

Faz-se um longo silêncio. Por fim, Tom diz:

— Talvez você devesse procurar um médico.

— Como assim?

Há rispidez na voz dela.

— Como o detetive disse: você não está fazendo nada para recuperar a memória. — Ela o encara, mas ele não desvia os olhos. — Talvez devesse.

— O que o médico vai fazer? — pergunta ela, com frieza.

— Não sei — responde Tom. — Talvez você devesse tentar hipnose.

Ele a está pressionando. *Vamos descobrir o que aconteceu naquela noite. Quero muito saber. E você?*

Ela solta uma risada forçada.

— Não vou fazer hipnose. É ridículo.

— Será? — insiste ele, desafiando-a e notando que ela não gosta nada disso.

Karen se levanta e sai da sala, levando o prato de brownie de volta para a cozinha. Tom permanece sozinho no sofá, esmagado por uma solidão devastadora. Ouve a porta dos fundos se abrir e fechar. Ela saiu.

Capítulo Vinte e Um

KAREN FECHA A PORTA e fica parada no quintal. Precisa segurar a vontade de chorar. Não era para nada disso estar acontecendo. Ela está perdendo Tom. Senta-se numa das cadeiras de vime, esperando que o marido venha ficar com ela. Mas ele não vem, e ela sente um misto de tristeza, solidão, fúria e medo.

E essa desconfiança horrorosa que de repente também sente... Onde ele foi naquela noite? O que não está lhe contando? Como ela gostaria de se lembrar do que aconteceu! O que foi que ela fez?

Quer fugir da tensão de casa. Levanta-se, contorna a propriedade. Talvez devesse dar um pulo na Brigid agora.

Mas não conseguiria conversar com ela neste instante. Põe-se a caminhar pela calçada, afastando-se de casa. Precisa pensar.

Karen saiu, e Tom ficou sozinho. Brigid o viu chegar alguns minutos antes. Alguma coisa aconteceu.

Brigid sai de casa e atravessa a rua depressa. Não sabe quanto tempo terá até Karen voltar. Sobe a escada da varanda e bate à porta.

Ele não atende de imediato. Ela bate mais uma vez. Por fim, Tom abre a porta, parecendo ao mesmo tempo cansado e inquieto. Em seu rosto bonito há vincos que ela nunca viu antes. Ele está pálido.

— Oi — cumprimenta Brigid.

— Oi — responde Tom, a mão esquerda na porta, como se preparado para fechá-la. — A Karen não está em casa, deu uma saída.

— Eu sei — responde Brigid. — Vi quando ela saiu. — Brigid hesita. — Na verdade, eu queria falar com você a sós um minutinho.

Brigid entra na sala. Agora, ou ele terá de pedir que ela saia, ou fechará a porta. Ela acha que não será a primeira opção.

— Eu queria perguntar a você sobre a Karen — começa Brigid, virando-se para ele. — Como ela está? Está bem?

Tom a encara com frieza.

— Melhorando.

— Ela me pareceu muito atordoada quando passei por aqui naquele dia — observa Brigid. — Por causa do copo. Não é do feitio dela.

Tom assente.

— É que... tem muita coisa acontecendo.

— Eu sei — diz Brigid. — Vi os detetives baterem aqui de novo, agora há pouco. — Ela se detém. Como Tom não diz nada, Brigid pergunta: — O que eles queriam?

— Queriam ver se ela já se lembrava de alguma coisa do acidente — responde Tom. — Mas ela não se lembra. Diz que não sabe o que aconteceu naquela noite.

— E você acredita nela — murmura Brigid.

— Claro que acredito — confirma Tom, indignado.

— Mas a polícia não?

— Não sei no que a polícia acredita. Nada do que eles dizem faz sentido.

Brigid o observa. A conversa que eles tiveram pelo telefone sobre Karen parece pairar na sala. Ela não resiste ao impulso de tocar no assunto.

— No dia do acidente... Foi por isso que telefonei para você e pedi que nos encontrássemos. Para contar sobre o homem que estava rondando a casa, que depois mencionou o passado da Karen. Achei que, se eu tentasse contar por telefone, você ia desligar. Mas aí minha irmã ligou e...

— Não quero mais falar sobre isso — interrompe-a Tom. Faz-se um silêncio incômodo, até que ele sugere: — Talvez você devesse procurar a Karen amanhã.

Ela assente.

— Claro. Eu ligo depois. — Ela acrescenta: — Você parece cansado, Tom.

Ele passa a mão no cabelo e diz:

— É porque *estou* cansado.

— Se houver alguma coisa que eu possa fazer para ajudar — oferece ela, tocando de leve o braço dele —, é só pedir.

— Obrigado — Tom lhe agradece —, mas vou ficar bem.

Ela sente o calor do antebraço dele sob a mão. Tom se afasta dela, interrompendo o contato.

— Boa noite.

Ela se vira para descer a escada. Do outro lado da rua, sua própria casa está vazia e quase completamente escura, à exceção da luz da varanda.

Com alívio, Tom fecha a porta e se escora nela, sentindo-se vergar de exaustão. Sempre se sente incomodado, tenso, perto de Brigid. Não gosta da amizade que nasceu entre ela e Karen. Mas sabe que é egoísmo seu. Entra na sala imaginando o que Brigid estará pensando. Ela reconheceu os detetives. Detetive não investiga acidente de trânsito. Ela obviamente desconfia de que haja mais alguma coisa. E Tom sabe que Brigid questiona o passado de Karen. Seria melhor se ela não tivesse dividido suas desconfianças com ele. Se o que Brigid presume for verdade, a conduta fraudulenta de Karen teria começado muito antes da noite do acidente.

No entanto, é difícil acreditar nisso. Ele se lembra de todos os momentos felizes que tiveram juntos: passeando na mata de mãos dadas no outono, tomando o café da manhã no quintal de casa no verão, os dois debaixo das cobertas no inverno. Sempre foi apaixonado por ela, sempre acreditou que eles eram devotados um ao outro, de corpo e alma.

Mas agora... agora não sabe no que acreditar. Se Karen não se lembra mesmo de nada, por que não toma nenhuma atitude para recuperar a memória, como o detetive sugeriu?

Tom vai até à cozinha e pega uma garrafa de uísque no armário. Sobrou muita bebida da festa de casamento deles, de quase dois anos atrás. Ele bebe muito pouco; raramente toma mais do que uma cerveja ou uma taça de vinho no jantar. Agora serve uma dose generosa do uísque e espera Karen voltar.

Capítulo Vinte e Dois

KAREN CAMINHA RÁPIDO, assustada como um gato. Está ofegante, devido ao cansaço e aos seus sentimentos. Sente-se à beira de um colapso nervoso.

Está vivendo com medo há tempo demais.

Pensa na primeira vez que chegou do trabalho e achou que as coisas não estavam exatamente como as havia deixado. Notou que o livro que lera à noite estava à *esquerda* do abajur na mesinha de cabeceira. Tinha certeza de que o deixara à direita do abajur, mais perto da cama, antes de dormir. Não o teria deixado do outro lado. Ficou parada ali, olhando para o livro, sem conseguir acreditar. Nervosa, examinou o restante do quarto. À primeira vista, tudo parecia estar normal. No entanto, quando abriu a gaveta de roupa íntima, estava tudo bagunçado, como se alguém tivesse mexido em suas calcinhas e em seus sutiãs. Ela sabia que suas peças tinham sido reviradas. Ficou imóvel, encarando a gaveta. Disse a si mesma que era impossível que alguém tivesse entrado na casa e vasculhado sua gaveta de roupa íntima. Talvez ela estivesse apressada de manhã, talvez tivesse sido desleixada. Mas sabia que não estivera com nenhuma pressa especial de manhã. Fora um dia como outro qualquer.

Não comentou nada com Tom.

Pouco tempo depois, houve o dia em que chegou à sua casa e foi trocar de roupa no quarto. Havia arrumado a cama pela manhã, como sempre fazia e como havia aprendido quando trabalhara de camareira num hotel cinco estrelas: o lençol e a colcha bem esticados. Estava tirando os brincos, olhou para a cama pelo espelho da cômoda e ficou paralisada. Então se virou. Dava para ver a leve marca de um corpo na colcha verde-clara. Como se alguém tivesse se deitado na cama e depois tentado alisar a colcha sem muito cuidado. Ela ficou apavorada. Sabia que não era sua imaginação. Tom saía para o trabalho antes de ela arrumar a cama. Karen ficou tão aturdida que telefonou para o escritório do marido para lhe perguntar se ele tinha voltado para casa durante o dia. Não tinha. Disse que havia uma janela aberta que ela achava ter fechado antes de sair para o trabalho, mas decerto se esquecera de fechar. Ele não pareceu ficar preocupado.

Depois disso, ela passou a fotografar os cômodos com o celular antes de sair para o trabalho todos os dias, para comparar as fotografias com o que encontrava ao voltar para casa. Sempre saía para o trabalho depois de Tom e voltava para casa antes dele. Não havia diarista, nem animais de estimação. Portanto, se as coisas não estavam exatamente como eles haviam deixado...

A última vez fora poucos dias antes do acidente. Ela sentiu que alguém havia entrado na casa, de algum modo sentiu isso. Andou pela casa com o celular na mão, comparando as fotografias com o que encontrava nos cômodos. Tudo estava perfeito. Mesmo assim, ela tinha certeza de que alguém havia entrado ali. Estava começando a relaxar quando chegou ao escritório do marido. Voltou os olhos para a mesa de Tom. Procurou entre as imagens as fotografias que tirara do cômodo pela manhã. A agenda aberta não estava onde o marido havia deixado: estava uns 15 fora do lugar. Ela avaliou a fotografia, depois a mesa. Não havia dúvida. Alguém estivera ali, dentro da casa deles.

Alguém tinha entrado na casa, vasculhado as coisas deles. Deitado na cama.

Ela nunca contou nada disso ao marido.

E agora sabe quem foi. Foi ele, o tempo todo. Ele havia entrado na casa. Havia observado, esperado. A ideia a deixa nauseada.

Mas agora ele está morto. As imagens pavorosas do cadáver invadem sua mente, embora ela tente afastá-las dos pensamentos.

Aquela ocasião do copo sobre a bancada decerto era um engano: o nervosismo a fez entrar em desespero. O copo já devia estar ali, e ela se esqueceu, provavelmente por causa da concussão.

Seus temores agora se fixam todos naquele maldito detetive.

O coração bate forte, ela aperta o passo.

Karen entra em casa, ávida para estar ali dentro. Tranca a porta. Dá meia-volta e vê Tom observando-a da sala. Ele está perto da lareira, com um copo de uísque na mão.

— Você pode me servir uma dose? — pede ela.

Ela não está mais tomando os analgésicos e precisa de uma bebida.

— Claro.

Ela o acompanha à cozinha. Quando ele pega a garrafa no armário, ela fica observando-o. Deseja profundamente que consigam vencer essa desconfiança, a tensão. Fica imaginando se isso será possível agora.

Ele lhe entrega o copo de uísque, puro.

— Obrigada.

Ela toma um gole e sente o líquido arder em sua garganta na mesma hora, tranquilizando-a um pouco.

— Aonde você foi? — pergunta Tom.

Ele está se esforçando tanto para afastar da voz qualquer sombra de hostilidade que não parece nem um pouco natural. O homem tranquilo, inadvertidamente feliz, com que ela se casou desapareceu. O homem de sorriso largo, de abraços e beijos espontâneos. Ela o transformou.

— Fui dar uma volta — responde, a voz sem emoção.

Ele assente. Como se fosse perfeitamente normal ela sair para dar uma volta sozinha, à noite, sem ele

É como se fôssemos completos desconhecidos, pensa Karen, tomando outro gole do uísque.

— Brigid esteve aqui — diz Tom.

Ele está encostado na bancada, de frente para ela.

Karen sente o peito se contrair.

— Mesmo? O que ela disse? Ouviu alguma coisa?

— Deve ter ouvido — responde Tom, aborrecido.

— Mas você não perguntou?

— Você pode perguntar amanhã — diz ele. — De qualquer jeito, é melhor que seja você quem pergunte.

Ela assente. Encara o marido e sente o coração bater descompassado quando ele desvia os olhos.

Ambos precisam saber o que a mente dela está bloqueando.

— Tom — balbucia ela. — Você quer me levar ao local onde encontraram o corpo?

— O quê, agora? — surpreende-se Tom.

— Por que não? — Ela se lembra de como ele a pressionou, acusando-a de não fazer nada para recuperar a memória. Agora está se oferecendo para fazer alguma coisa. Ah, se ele soubesse como ela está desesperada para saber o que aconteceu! — Talvez isso me ajude a lembrar.

Ela sabe o endereço, cortou do jornal.

— Tudo bem — assente Tom, tomando o resto do uísque.

Ele pega a chave a caminho da porta, e ela o acompanha.

Capítulo Vinte e Três

Quando eles deixam as ruas conhecidas do bairro para trás e avançam no sentido sul, Karen fica cada vez mais apreensiva. É como se estivessem caçando problema, andando de Lexus naquela região decadente. "Viu, estou tentando", ela quer dizer, mas não diz. Fica olhando pela janela a paisagem deprimente, tentando se lembrar, mas não lhe ocorre nada.

— Acho que é ali — diz Tom, parando o carro no estacionamento vazio de um centro comercial, indicando, do outro lado da rua, o restaurante abandonado de que tanto ouviram falar.

Os dois permanecem sentados no escuro, olhando para o prédio feio, a porta e as janelas cobertas de tábuas. Ela não quer sair do carro. Agora só quer voltar para casa. Nada lhe parece familiar. Ela nunca viu esse lugar. Nunca esteve aqui. Começa a tremer.

— Vamos dar uma olhada? — propõe Tom, indiferente.

Nunca foi a intenção de Karen sair do carro. Ela só queria ver o local, de longe. Encolhe-se no banco.

— Não quero.

Ele salta do carro mesmo assim. Ela não tem escolha senão segui-lo. Não quer ficar sozinha ali. Salta do veículo e bate a porta. Precisa andar rápido para acompanhá-lo atravessando a rua em direção ao restaurante. Olha ao redor, nervosa, mas não há ninguém à vista. Juntos, os dois param em frente ao prédio, sem dizer nada. Karen sente a recriminação de Tom pela disposição dos ombros dele, pela fisionomia séria. Ele sabe que ela esteve aqui e não consegue perdoar a esposa por isso. Ainda sem dizer nada, Tom contorna o prédio. Karen o acompanha, dando um passo em falso por sentir as pernas lhe faltarem. Está arfante, aérea. Sente um medo atroz. No entanto, não reconhece nada. Não se lembra de nada.

A fita amarela da polícia ainda está ali isolando os fundos do restaurante, mas está solta em alguns lugares, tremulando ao vento.

— Está adiantando alguma coisa? — pergunta Tom, virando-se para ela.

Karen balança a cabeça. Sabe que parece assustada.

— Vamos embora, Tom — sugere.

Ele a ignora.

— Vamos entrar.

Karen o detesta por desafiá-la dessa maneira, sem ligar para o fato de ela estar com medo. Cogita voltar para o carro. Se estivesse com a chave, iria embora e o deixaria ali.

Mas a raiva lhe dá coragem de seguir Tom, passando por baixo da fita amarela. Ele empurra a porta com o cotovelo. Por incrível que pareça, a porta se abre. Karen deduz que a polícia já terminou o que tinha de fazer ali e deixou as coisas como as encontrou.

Tom vai na frente. Há luz vindo do poste, entrando por uma brecha nas tábuas da janela. A luz é suficiente para que eles vejam o interior. Há uma mancha escura no chão, no local onde o corpo decerto estava, e um cheiro repulsivo, cheiro de bicho morto. Ela se detém, imóvel, fitando a mancha. Leva a mão involuntariamente à boca, como se sentisse ânsia de vômito. Tom volta os olhos para ela.

— E aí? — pergunta ele.

— Para mim, chega.

Ela sai do restaurante e curva o corpo para a frente, tentando respirar o ar fresco. Quando levanta a cabeça, está virada para um estacionamento. Tom se aproxima, olhando na mesma direção.

— Acho que foi ali que encontraram a marca de pneu. E as luvas. — murmura, dirigindo-se ao estacionamento. Ela o observa. Depois de alguns passos, ele se vira para trás. — Vamos?

— Não. Vou voltar para o carro.

Karen se põe a andar na direção do carro sem olhar para ele. Isso tudo só serviu para assustá-la. Não a ajudou a recuperar a memória, e seu esforço não lhe rendeu a solidariedade do marido.

Tom a observa voltar para o carro. Ela está chateada, mas ele não se importa. Isso até lhe dá uma espécie de satisfação perversa. Afinal, é tudo culpa dela. Ele a vê atravessar a rua e esperar ao lado do Lexus. Como Tom está com a chave, ela não pode entrar no carro.

Ele dá uma olhada no estacionamento todo, imaginando onde exatamente o carro dela teria ficado estacionado. Onde a polícia teria encontrado as luvas. Não se apressa. Mas fica de olho em Karen, para se certificar de que ela está bem, sozinha ao lado de um carro sofisticado.

Por fim, volta para o veículo, destranca as portas e os dois vão para casa. Tom chega à conclusão de que essa pequena incursão ao local do assassinato só fez mostrar melhor as fendas do já dilacerado relacionamento deles. Quando entram em casa, é tarde. Tom joga a chave na mesinha e diz:

— Estou cansado. Acho que vou para a cama.

Ele sobe a escada. E, a cada passo, seu desespero aumenta.

Bob entra em casa, em silêncio. Dá uma espiada na sala, onde sabe que encontrará Brigid, sentada no escuro. Sabe que ela não está à espera *dele*. Houve um tempo em que ficava, mas ela já não tem mais nenhum interesse pelo marido. Só se interessa pelos malditos vizinhos.

Ele também está magoado. Ainda poderia amá-la, se ela conseguisse vencer o desgosto de não ter filhos. Isso os afastou e está afetando a saúde mental dela. Brigid sempre foi muito emotiva — era ele a pessoa estável da relação, o amparo dela. Agora, no entanto, não sabe o que fazer. Sabe conversar com famílias em luto, é o que faz o dia inteiro, é bom nisso, mas fracassou dentro da própria casa. Não consegue ajudar a esposa a lidar com o sentimento de perda dela, nem lidar direito com o seu.

— Brigid? — chama, em voz baixa, enxergando apenas o vulto dela na cadeira.

Por um instante, a esposa permanece tão imóvel que ele acha que ela deve estar dormindo. Bob entra na sala. Quando Brigid fala, ele se sobressalta.

— Oi — diz ela.

— Não é melhor você ir para a cama? — pergunta ele, aproximando-se e olhando para ela com preocupação.

Brigid nem sequer ergue os olhos para fitá-lo. O olhar permanece fixo na casa do outro lado da rua.

— Os detetives voltaram para conversar com a Karen e o Tom — comenta.

Bob não sabe o que está acontecendo com Karen e Tom Krupp. Aparentemente, Karen se meteu em alguma confusão. Ele não os conhece de fato, mas sabe que Brigid e Karen são amigas.

— O que você acha que está acontecendo?

Brigid balança a cabeça.

— Não sei.

— A Karen já se lembrou de alguma coisa?

— Não. — Ela finalmente se vira para o marido. — Fiz brownie. Quer um?

Karen vê Tom se afastar, o coração se apertando a cada passo que ele dá.

Ainda agitada, vai para a cozinha e se serve de mais uma dose de uísque. Leva o copo para a sala e desaba no sofá, segurando a bebida com as mãos trêmulas. Toma um gole e fica olhando para o nada, não sabe por quanto tempo. De repente ouve o telefone tocar na cozinha. O corpo inteiro se contrai. O telefone para de súbito no segundo toque: Tom deve ter atendido no quarto. Contudo, de repente Karen se lembra daquele outro telefonema...

Fecha os olhos. Estava na cozinha, preparando uma salada, cortando o tomate... Tom iria chegar logo. Estava louca para vê-lo. Quando o telefone tocou, imaginou que seria ele dizendo que se ia se atrasar ainda mais. Mas não era Tom. Tudo está clareando agora; ela se concentra. Quer saber o que aconteceu.

Era uma voz que ela não escutava havia quase três anos, uma voz que pretendia nunca mais escutar. Conhecia-a bem demais.

— Oi, Georgina.

Seu coração começou a bater acelerado, sua boca secou. Cogitou desligar o telefone sem dizer nada, mas, assim, estaria agindo como uma criança que fecha os olhos achando que ninguém consegue vê-la. Não podia desligar o telefone, não podia fechar os olhos. Ele a havia encontrado. Karen já suspeitava de que tinha sido encontrada: ele estivera em sua casa. Ela estava apenas esperando, tentando fingir que isso não ia acontecer. Mas estava acontecendo.

Fugira daquela vida. Tornara-se outra pessoa. Encontrara uma felicidade inesperada com Tom. E, com um telefonema, sentia essa nova vida se estilhaçar em um milhão de cacos afiados.

Ele lhe deu o endereço de um restaurante abandonado, num bairro em que, se não fosse por esse motivo, ela jamais pisaria. Karen desligou o telefone. Só conseguia pensar em se proteger, em não deixar ninguém destruir o que agora tinha com Tom. Pegou as luvas cor-de-rosa na bancada. Pegou a arma no esconderijo, na lavanderia, a arma da qual Tom nada sabia, guardando-a com as luvas na bolsa de lona. Apanhou a chave do carro na mesinha e desceu correndo a escada da varanda, sem nem pensar em trancar a porta ou deixar um bilhete para o marido.

Dirigiu com as mãos agarradas ao volante, no limite de velocidade, sem pensar em nada.

Por um instante, tudo para. Karen não se lembra do que aconteceu em seguida. Toma mais um gole do uísque, tenta relaxar. E de repente ela se lembra de parar o carro naquele estacionamento. Lembra-se de tirar as luvas da bolsa de lona e calçá-las. Pareciam absurdas em suas mãos. Pegou a arma na bolsa. Estava tremendo.

Olhou à sua volta para ver se havia alguém à espreita, mas o lugar estava deserto. Saltou do carro e, com os nervos à flor da pele, avançou para os fundos do prédio, aonde ele lhe havia dito que fosse. Quando chegou ao local, a porta estava entreaberta, e ela a empurrou com os dedos... Mas, nesse ponto, a memória lhe escapa. Ela espera, tenta forçá-la, mas não se lembra de mais nada. Engole as lágrimas de frustração. Ainda não sabe o que aconteceu no restaurante. Não sabe como ele morreu. Precisa saber o que aconteceu! Como pode decidir o que fazer se não sabe a verdade? Por mais que tente, não consegue se lembrar de mais nada.

O que viu hoje com Tom se torna agora terrivelmente familiar. Já não suporta mais pensar no assunto. Termina a bebida num grande gole, deixa o copo sobre a mesinha de centro e enterra o rosto nas mãos.

Capítulo Vinte e Quatro

NA MANHÃ SEGUINTE, Tom vai para o trabalho, e Karen fica sozinha em casa. Sente-se enclausurada. Sentada à mesa da cozinha, ignora a xícara de café à sua frente, o corpo tenso.

Está morrendo de medo de Rasbach voltar. Imagina-o investigando, cavando informações, descobrindo coisas. Descobrindo coisas sobre ela. *Descobrindo quem é o homem morto.* Aí será apenas uma questão de tempo.

Ela não contou a Tom os detalhes de que se lembrou. Não pode fazer isso. Precisa pensar, encontrar uma saída. Mas sua mente sempre afiada, sempre tão boa em planejar, não está funcionando muito bem. Talvez seja consequência da concussão.

Ela já fugiu uma vez. Escapou dele, desapareceu de Las Vegas, recomeçou a vida.

Naquele dia, disse que iria sair para passear, que iria à represa Hoover, perto de Las Vegas. Na noite anterior, havia pegado o carro usado que comprara com dinheiro vivo algumas semanas antes. Combinara de deixar o veículo com o vendedor até que pudesse pegá-lo. Usara a nova identidade — obtida com alguém que conhecera *pela Internet* — para fazer o registro do automóvel. Então dirigiu até a represa e deixou o carro no estacionamento sob a ponte. Telefonou para um táxi usando o celular pré-pago que havia comprado numa farmácia também com dinheiro vivo e pediu ao motorista que a levasse de volta à cidade, que a deixasse no Bellagio. Novamente, pagou em dinheiro. Pegou outro táxi de volta para casa e chegou antes dele. Sabia que ele voltaria tarde. Mal conseguiu dormir naquela noite: estava nervosa demais, preocupada com o que poderia dar errado.

Na manhã seguinte, bem cedo, voltou à represa pela US 93 South, muito nervosa ao volante, e parou o carro no mesmo estacionamento, sob a ponte. Quando viu o veículo que usaria para fugir do outro lado do estacionamento, esperando por ela, de repente se deu conta de que aquilo era real. Deixou a carteira com o documento de identidade no porta-luvas e foi para a ponte. Havia algumas pessoas ali, pessoas suficientes para vê-la no local. Aproximou-se do corrimão e olhou para baixo. Eram quase trezentos metros de altura até o rio Colorado. Ficou tonta ao olhar para baixo. Cair ou pular dali seria morte certa. Pegou o celular e tirou uma fotografia. Então enviou a foto para ele com uma mensagem: "Você não pode mais me machucar. É o fim. E a culpa é sua." Quando a mensagem foi enviada, ela jogou o celular no rio.

Depois disso, era preciso agir rápido. Ela desceu até o estacionamento e entrou num dos banheiros químicos quando ninguém estava olhando. Lá dentro, tirou a roupa toda, menos o sutiã e a calcinha. Havia um vestido na bolsa, e ela o colocou pela cabeça. Guardou a bermuda, a camiseta, os tênis e o boné na sacola. Soltou o cabelo e botou óculos escuros imensos. Calçou também as sandálias de salto que havia na bolsa. Pegou um pequeno estojo de maquiagem e passou batom. Fora a bolsa que levava, sabia que parecia uma pessoa completamente diferente.

No estacionamento, o carro de segunda mão a aguardava, com a cara identidade nova de Karen Fairfield no porta-luvas. Levava o dinheiro que havia conseguido guardar. Cruzou o estacionamento, o vestido se enrolando nas pernas nuas, sentindo que praticamente podia voar.

Entrou no carro, abriu as janelas e pôs-se a dirigir. E, a cada quilômetro rodado, respirava com mais tranquilidade.

— Vi você chegando! — exclama Brigid, abrindo a porta. — Entre.

Brigid está evidentemente feliz de vê-la, e, por um instante, tudo parece ser como antes. Karen gostaria de poder se abrir com ela sobre a confusão em que se meteu. Seria tão mais fácil se pudesse dividir o fardo com outra pessoa! Mas precisa guardar segredo até mesmo da melhor amiga. E do marido. Porque não sabe o que pode ter feito.

As duas se dirigem imediatamente à cozinha, como de costume.

— Eu estava começando a fazer café. Quer? É descafeinado.

— Aceito.

Karen se senta na cadeira que costuma ocupar à mesa da cozinha de Brigid e observa-a preparar o café.

— Como você está se sentindo? — pergunta a amiga, olhando para trás.

— Melhor — responde Karen.

— Você está com a aparência boa.

Karen abre um sorriso pesaroso. É gostoso fingir, mesmo momentaneamente, que a vida é como antes. Toca o rosto de leve, não está mais tão inchado, os hematomas estão clareando.

— Não quero me intrometer — começa Brigid, olhando novamente para trás —, mas, se você quiser conversar, estou aqui. Mas, se não quiser conversar, não precisa. Eu entendo.

É nítido que Brigid está morrendo de vontade de falar sobre o assunto.

— É que... É estranho... Eu não me lembro de nada daquela noite — mente Karen. — Desde quando estava preparando o jantar até acordar no hospital. Por isso não tenho muito a dizer.

— Deve ser tão estranho! — observa Brigid, solidária, aproximando-se da mesa com as duas xícaras de café. Ela traz leite e açúcar e se senta de frente para Karen. — Vi os detetives entrando na sua casa. Eles bateram aqui também, para fazer perguntas.

— É mesmo? — indaga Karen, simulando surpresa. — Por que viriam aqui? O que perguntaram?

— Queriam saber se vi você saindo de casa naquela noite, antes do acidente, se tinha alguém com você, esse tipo de coisa.

— Ah!

Karen assente. Faz sentido. Eles sabem que ela saiu de casa sozinha, com pressa, depois de receber aquele telefonema às oito e dezessete. Gostaria de saber exatamente o que mais os detetives sabem, do que desconfiam.

— Eu disse que não sabia de nada. Que não estava em casa.

Karen toma um gole do café.

— Obrigada pelo brownie, aliás. Estava uma delícia, como sempre.

— Ah, de nada. Eu não ia conseguir comer tudo sozinha.

— Você deve ter levado o prato quando os policiais estavam lá em casa — comenta Karen.

Brigid assente.

— Eu não queria incomodar, por isso achei melhor deixar na cozinha.

Pela primeira vez, Karen se pergunta por que Brigid simplesmente não deixou o brownie na varanda, como é o costume no bairro. É o que se faz caso o vizinho esteja doente, se teve filho ou se perdeu algum familiar. Os vizinhos deixam um prato ou uma travessa de alguma coisa na varanda. Nunca nos fundos de casa. Muito menos na cozinha.

— Por que você não deixou na varanda?

Brigid hesita.

— Eu não queria atrapalhar. Achei que, se eu fosse até a varanda, você poderia me ouvir e sairia para atender à porta.

— Você deve ter escutado alguma coisa quando estava na cozinha.

— Não, não ouvi nada — garante Brigid. — Só deixei o brownie lá e vim embora. — Ela se inclina para Karen, a fisionomia preocupada. — Mas sei que detetive normalmente não investiga acidente de trânsito. O que está acontecendo?

Karen olha para Brigid e avalia rapidamente a situação. Precisa contar *alguma coisa* a ela.

— Eles estão investigando um assassinato.

— Assassinato? — Brigid se mostra perplexa. — O que isso tem a ver com você?

— Não sei. — Karen balança a cabeça. — Eles só sabem que o meu carro estava nas redondezas e, como eu estava dirigindo rápido demais e sofri um acidente, acham que eu poderia saber de alguma coisa sobre o que aconteceu. Como se eu fosse uma testemunha ou algo assim. Por isso estão sempre indo lá em casa, para ver se eu me lembro de alguma coisa. Querem que eu ajude a descobrir quem matou esse homem.

A mentira sai com facilidade.

— Os médicos fazem alguma ideia de quanto tempo você vai levar para se lembrar?

Karen balança a cabeça de novo.

— Talvez eu nunca me lembre, por causa do trauma. Eles acham que eu posso ter visto alguma coisa horrível acontecer.

— Bem, você tem mais o que fazer do que realizar o trabalho dos policiais. Eles que descubram! — diz Brigid. Ela se levanta e pega um vidro de cookies no armário. — Quer? — Karen pega um cookie. Brigid faz o mesmo, tomando um gole do café. — Então você ainda não sabe por que saiu de casa com tanta pressa?

Karen hesita antes de responder:

— Parece que recebi um telefonema, mas não me lembro de quem.

— E a polícia não descobriu? — pergunta a vizinha, os olhos cravados nela.

Karen já está arrependida de ter contado essas coisas para Brigid. Não quer mencionar o celular irrastreável. Como vai explicar que a polícia não sabe quem telefonou para ela?

— Não — responde, um tanto abruptamente, querendo botar um ponto-final na conversa. Engole o resto do cookie e se levanta. — Preciso ir; estava saindo para dar uma volta.

Quando as duas estão passando pela sala, Brigid pergunta:

— Você acha que está correndo algum perigo?

Karen se vira para ela.

— Por que você está perguntando isso?

Talvez Brigid consiga ver medo nos olhos de Karen.

— Não, é que... Se a polícia acha que você é testemunha, que você sabe de alguma coisa, talvez outra pessoa também ache isso.

Karen a encara, sem dizer nada.

— Desculpe, não quero deixá-la preocupada — lamenta-se Brigid. — Eu não deveria ter falado nada.

— Não, não tem problema. Já me perguntei isso também — mente Karen.

Brigid assente. As duas agora estão na varanda.

— Mas o Tom não vai deixar nada acontecer com você.

Capítulo Vinte e Cinco

TOM COMBINOU DE se encontrar com o irmão, Dan, na lanchonete preferida deles para almoçar. Dan também trabalha no centro da cidade: os escritórios dos dois irmãos não ficam muito longe um do outro. Quando Dan ligou mais cedo, naquela manhã, pareceu preocupado. Tom não tem contado para ele nada do que se passa. De repente, sentiu-se culpado por não ter mantido mais contato.

Também sente necessidade de conversar com alguém em quem confie. E, neste momento, parece que o irmão caçula é a única pessoa que se enquadra nessa descrição.

Tom escolhe uma mesa nos fundos do restaurante e fica esperando por Dan. Quando o irmão chega, Tom acena para ele.

— Oi — cumprimenta Dan. — Você não parece muito bem.

Há preocupação nos olhos de Dan.

— Não? — murmura Tom, fitando o irmão. — Sente-se.

— O que está acontecendo? — pergunta Dan, se sentando. — Faz uns dias que não nos falamos. Como está a Karen?

— Está bem — responde Tom.

Mas sua angústia deve ser óbvia. E Dan sempre teve a capacidade de adivinhar seus sentimentos.

— O que você não está me dizendo? — pergunta Dan, inclinando-se para a frente. — Que porra está acontecendo?

Tom respira fundo e se aproxima do irmão, detendo-se quando o garçom vem deixar os cardápios na mesa. Então conta tudo a Dan: sobre o homem morto, as luvas, o telefonema de um celular pré-pago.

Dan o encara, sem conseguir acreditar.

— Isso não faz nenhum sentido. O que a Karen estaria fazendo naquele lugar? E quem teria telefonado para *ela* de um celular irrastreável?

— Não sabemos — responde Tom. — Mas isso deixou a polícia desconfiada.

— É. Imagino que sim! — exclama Dan. — Mas, então... no que *você* acha que a Karen se meteu?

Dan parece preocupado.

— Não sei — responde Tom, desviando o olhar. — Ela ainda diz que não se lembra de nada. — Fica imaginando se Dan sente que ele próprio está desconfiado. Faz-se um longo silêncio antes de ele sugerir: — Talvez seja melhor fazermos o pedido.

— Claro.

Enquanto eles estudam o cardápio, Tom tenta decidir se conta o resto ao irmão: que está começando a se perguntar sobre o passado de Karen, que acha que ela pode estar escondendo alguma coisa. E se ele estiver enganado? Mas primeiro há outra coisa sobre a qual precisa desabafar. Os dois fazem o pedido, Tom coloca o cardápio de lado.

— A polícia está me investigando.

— Por quê? De que porra você está falando?

Dan agora se mostra realmente assustado, como se temesse o que está prestes a ouvir.

Tom se aproxima, abaixa ainda mais a voz.

— Querem saber onde eu estava na hora do acidente da Karen... na hora do assassinato.

Faz-se uma longa pausa, durante a qual Dan se limita a encarar o irmão.

— Por que querem saber isso? — pergunta, afinal.

Tom engole em seco.

— Nunca contei a você, mas... sabe aquela nossa vizinha, a Brigid, que mora na casa da frente? Acho que você a conheceu.

— Conheci. O que tem ela?

Tom olha para baixo, envergonhado com o que está prestes a admitir.

— Eu me envolvi com ela, antes de conhecer a Karen.

— Ela não é casada? — surpreende-se Dan.

— É, mas... — Ele fita o irmão e desvia os olhos novamente. — Ela me enganou, disse que o casamento tinha terminado, que ela e o marido estavam se separando. Mas era mentira.

Brigid o manipulara. Ele só se deu conta disso quando Bob o chamou para beber certa noite na casa deles, evidentemente sem saber o que se passava entre Tom e sua esposa, e ficou claro que Bob não fazia ideia de que o próprio casamento ia mal. Ficou claro que Brigid havia mentido.

Fora fácil manipulá-lo. Ele sentia uma enorme atração por ela. Havia algo terrivelmente instigante em Brigid, em seu descaso pelas normas. Ela representava a possibilidade de aventura dele.

Mas, assim que percebeu que ela havia mentido sobre a situação do casamento, Tom rompeu a relação. Como era de imaginar, Brigid não reagiu muito bem. Insistiu, chorou, gritou. Ele teve medo de que ela fizesse alguma besteira. Que contasse ao marido sobre os dois. Que rasgasse os pneus de seu carro. Mas então ela se acalmou e concordou em não contar nada a Bob. Pouco tempo depois, Tom conheceu Karen. Quando o namoro ficou sério, ele pediu a Brigid que também não contasse a Karen o que havia acontecido entre eles. Sentia vergonha de ter dormido com a mulher de outro homem, muito embora tivesse sido apenas porque ela o havia enganado. Na época, não podia imaginar que Brigid e Karen se tornariam grandes amigas. E foi com muito desgosto que viu isso acontecer. Houve alguns momentos desconfortáveis entre os dois, e ele não confiava totalmente na vizinha. Mas Brigid cumprira a promessa de não dizer nada e, desde então, os dois mantêm certa distância.

Havia muito tempo, o único contato dele com Brigid era como amiga de Karen. Até ela telefonar naquele dia.

— Então o que você está querendo me dizer? — pergunta Dan. — Está transando com ela de novo? Estava com ela naquela noite?

A comida chega, e eles param de falar, até se verem sozinhos novamente.

Tom se sente muitíssimo pouco à vontade com essa conversa. Encara o irmão, sério.

— Não. Não estou transando com ela. Como eu disse, já tínhamos terminado quando conheci a Karen. E a Karen não sabe de nada. Acha que somos apenas vizinhos. Combinamos de manter segredo.

— E você acha que foi uma decisão sensata? — pergunta Dan.

— Hoje sei que não.

— Então por que você não pode dizer à polícia onde estava? Pelo amor de Deus, não me diga que você se meteu em algum...

Dan está agitado. Tom o interrompe.

— Eu não fiz nada de errado. Não estou envolvido nessa confusão em que a Karen se meteu, o que quer que isso seja. Juro. — Ele hesita. — Mas... a Brigid telefonou para mim naquele dia, no dia do acidente, pedindo que eu me encontrasse com ela à noite. Queria conversar comigo sobre um assunto. Disse que era importante. — Ele passa a mão no cabelo. — Mas ela não apareceu. Esperei mais de meia hora. E agora a polícia quer saber onde eu estava. Falei que estava dirigindo por aí, tentando espairecer, por causa do estresse do trabalho. Menti na frente da Karen.

— Que confusão! — exclama Dan.

Tom assente.

— Pois é.

— Você precisa contar a verdade à polícia. E a Karen vai ficar sabendo.

Tom fecha a cara.

— Eu sei.

— E sobre o que a Brigid queria conversar com você, afinal?

Tom encara o irmão e lhe conta sobre o homem de cabelo preto que estava rondando a casa naquele dia e as suspeitas de Brigid sobre o passado de Karen.

— Ela falou que viu um programa de televisão que fez com que ela pensasse que talvez a Karen tivesse fugido de algum lugar para refazer a vida usando uma nova identidade.

— Sério?

Tom assente.

— Eu sei, parece ridículo, não é? Mas ela disse que queria se encontrar comigo naquela noite para me contar pessoalmente porque achou que, se tentasse me falar isso pelo telefone, eu ia desligar.

— Por que você desligaria?

Tom desvia os olhos.

— Houve uma época em que ela me telefonava... e eu desligava na cara dela. Mas isso foi há muito tempo.

— E por que ela não apareceu naquela noite?

Tom volta os olhos para Dan.

— Ela disse que a irmã precisou dela. A irmã está sempre com algum problema. Enfim, ela mencionou isso de não sabermos nada do passado da Karen, o fato de ela não ter parentes nem amigos.

— Nisso ela tem razão — assente Dan.

— E fiquei pensando... Meu Deus, *e se a Brigid tiver razão?*

Capítulo Vinte e Seis

TOM VOLTA PARA O ESCRITÓRIO depois do almoço, mas a secretária logo lhe avisa que há "dois cavalheiros" querendo falar com ele. Só podem ser os malditos detetives. Mas ele conversou com os dois ontem à noite. O será que eles querem agora? Tom sente o suor brotar nas costas, debaixo da camisa. Tenta se acalmar, ajeita a gravata e então diz:

— Pode deixá-los entrar.

Ele sai de trás da mesa quando os detetives Rasbach e Jennings surgem na sala.

— Boa tarde — cumprimenta-os, fechando a porta.

Tom se pega pensando em Dan, que lhe pediu que cooperasse com a polícia. Precisa contar a eles sobre a Brigid.

— Boa tarde — responde Rasbach, com gentileza.

Tom não gosta daquele excesso de gentileza. Ele sabe que isso sempre esconde algo preocupante. Retorna à mesa, imaginando se eles terão algo surpreendente para lhe contar. Primeiro foram as luvas no local do crime. Depois o telefonema de um celular irrastreável. O que vai ser dessa vez?

— Temos mais algumas perguntas — começa Rasbach quando todos estão sentados.

— Imagino que tenham mesmo — afirma Tom.

O detetive o observa, impassível.

— Onde o senhor conheceu a sua esposa?

— Que diferença isso faz? — pergunta Tom, achando aquilo estranho.

— Por favor, tenha paciência — pede Rasbach — e responda à pergunta.

— Ela trabalhou aqui no escritório. Ficou aqui duas semanas só. Karen é escriturária, mas era nova na cidade e estava trabalhando como temporária. Queria trabalhar num escritório de contabilidade. Quando o contrato dela terminou, eu a convidei para sair.

Rasbach assente, inclinando a cabeça para o lado.

— O senhor conhece a sua esposa?

— Sou casado com ela. O que você acha? — pergunta Tom, irritado, a mente a mil.

O que os detetives terão descoberto? Seu coração começa a bater acelerado. É por isso que vieram. Para contar quem sua esposa é de verdade.

Rasbach aguarda alguns instantes, inclinando-se para a frente, adotando uma fisionomia mais solidária.

— Não me refiro à pasta de dentes preferida dela. O senhor sabe de onde ela veio? Conhece o passado dela?

— Claro.

— E qual é? — pergunta Rasbach.

Embora desconfie de que está entrando numa cilada, Tom não consegue pensar em mais nada para responder, por isso repete o que Karen lhe disse.

— Ela nasceu e cresceu em Wisconsin. Os pais estão mortos. Não tem irmãos.

— Alguma outra coisa?

— Claro, várias outras coisas. — Tom encara o detetive e, sem suportar mais a tensão, pergunta: — Por que você não vai direto ao ponto?

— Tudo bem — assente Rasbach. — Sua mulher não é quem diz ser.

Tom o encara, imperturbável.

— O senhor não parece surpreso — observa Rasbach.

— Nada do que vocês dizem me surpreende mais.

— Sério? — pergunta Rasbach. — O senhor não fica surpreso em saber que se casou com uma mulher que fugiu e assumiu uma nova identidade? — Rasbach encara Tom, que de súbito se vê incapaz de desviar os olhos. — Sua mulher não nasceu Karen Fairfield.

Tom se mantém imóvel. Não sabe o que fazer. Deveria admitir sua suspeita? Ou fingir que não fazia ideia de nada?

Diante de seu silêncio, o detetive pressiona:

— Sua mulher mentiu para o senhor sobre quem ela é.

— Não mentiu, não — objeta Tom.

— Mentiu — afirma Rasbach. — Inventou Karen Fairfield e um passado para ela. Foi tudo muito bem-feito, mas não perfeito o bastante para resistir a uma investigação aprofundada. Sua mulher não teria sido descoberta se tivesse ficado na dela. Provavelmente ninguém nunca teria desconfiado de nada. Mas aparecer no local de um assassinato foi um erro.

— Não acredito nisso — protesta Tom.

Ele tenta se mostrar indignado, mas sabe que decerto parece apenas um homem desesperado, em negação frente a uma terrível verdade.

— Ora, dê o braço a torcer! — exclama Rasbach. — O senhor não confia tanto assim na sua esposa.

— O quê? — Tom se exalta. — Do que você está falando? Claro que confio na minha esposa! — Ele se sente enrubescer até a raiz do cabelo. — Se você é tão esperto assim — pergunta, antes que tenha tempo de se conter —, quem é ela então?

Tom imediatamente se arrepende da pergunta, temendo a resposta.

Rasbach se recosta na cadeira.

— Ainda não sabemos. Mas vamos descobrir.

— Quando descobrirem, tenho certeza de que irão me dizer — observa Tom, com amargor.

— Claro que iremos — confirma Rasbach, levantando-se. — Aliás, o senhor teve chance de pensar mais sobre onde estava naquela noite?

Filho da puta! Tom se empertiga. Sabe que isso vai ser difícil.

— Não contei tudo ontem — admite. Rasbach o observa, aguardando. — Não queria contar porque vocês vão transformar o que eu disser em algo que não é.

Rasbach volta a se sentar.

— Nós lidamos com fatos, Sr. Krupp. Por que o senhor não nos dá uma chance?

Tom o encara.

— Eu tinha combinado de me encontrar com uma pessoa. Brigid Cruikshank, uma vizinha nossa, que mora no outro lado da rua. — Rasbach continua encarando-o, esperando que ele prossiga. — Ela me telefonou, queria me encontrar às oito e meia, perto do rio. Eu fui, mas ela não apareceu.

Rasbach pega o caderno no bolso do paletó.

— Por quê?

— Disse que a irmã precisou dela.

— E por que ela queria se encontrar com o senhor?

— Não sei — mente Tom.

Ele não pretende contar ao detetive sobre o homem de cabelo preto que Brigid viu rondando a casa deles na manhã do acidente. Ela disse que não tinha contado nada a eles.

— Você não perguntou?

Tom sabe que precisa abrir o jogo.

— Se vocês querem saber, antes de conhecer a minha mulher, eu e a Brigid tivemos um... tivemos um caso.

Rasbach não desgruda os olhos dele.

— Continue — pede.

— Foi muito rápido. Terminei tudo e logo conheci a Karen.

— E sua mulher sabe disso?

— Não, nunca contei a ela.

— Por quê?

— Por que você acha?

— E o senhor não sabe por que essa Brigid queria encontrá-lo naquela noite?

Tom meneia a cabeça.

— Não. Acabei me esquecendo disso por causa do acidente da Karen.

— O senhor não está dormindo com ela de novo, está?

— Não. De jeito nenhum.

— Entendo.

Tom quer esmurrar o detetive. Mas não faz nada. Quando os homens se levantam para ir embora, ele os acompanha. Precisa se conter para não bater a porta, enfurecido.

Capítulo Vinte e Sete

— VOCÊ ACHA QUE ele sabe quem a esposa é de verdade? — pergunta Jennings, ao entrar no carro.

Rasbach balança a cabeça.

— Duvido; estava apavorado com a possibilidade de contarmos alguma coisa que ele não quisesse ouvir. — O detetive se detém antes de acrescentar: — Deve estar vivendo um inferno.

Jennings assente.

— Dá para imaginar ir para a cama todo dia com uma mulher que pode ser uma assassina? Deve ser difícil.

Rasbach se vê frustrado com o fato de eles não terem descoberto nenhuma mulher desaparecida que se encaixe no perfil de Karen.

— Quem é ela? — pergunta-se em voz alta. — Eu gostaria de interrogá-la na delegacia, mas não quero assustá-la. — Ele parece refletir por alguns instantes. — Se tivéssemos material suficiente para prendê-la, poderíamos coletar as impressões digitais e ver se conseguíamos identificá-la desse jeito. Sabemos que está envolvida nisso de alguma forma, mas o material que temos não basta.

— Tentar descobrir quem é ela é como procurar uma agulha num palheiro — observa Jennings. — Sabe quantas pessoas desaparecem nesse país todos os anos? — Rasbach franze a testa. — Eu estava falando de forma retórica, é claro.

— Acho que a chave para a investigação é a vítima — sugere Rasbach. — Mulher não identificada possivelmente é a assassina de homem não identificado. Quem são essas pessoas?

— Crime organizado? Queima de arquivo?

— Talvez. Não sei. Mas, se pudermos identificar um deles, acho que conseguimos identificar o outro. — Ele se mantém em silêncio por alguns instantes. — Ela sabe — murmura Rasbach, pensativo. Quando eles chegam à delegacia, acrescenta: — Vamos chamá-la aqui. Sem estardalhaço.

Karen entra no banho, permitindo-se chorar enquanto a água cai. Não quer fugir, não quer abandonar o marido, mas talvez essa seja a única saída, se tudo piorar.

Depois de um tempo, ela se recompõe porque é preciso. Não pode desmoronar. Mesmo tudo parecendo péssimo agora, isso não necessariamente significa que a polícia vai conseguir indiciá-la. Precisa conversar com Jack Calvin de novo, sem o marido. Precisa saber quais são suas opções.

Porque, assim que identificarem a vítima, assim que descobrirem que o homem morto é Robert Traynor, irão investigar o passado dele.

E descobrir que sua esposa morreu de forma trágica há quase três anos.

Há fotografias dela como Georgina Traynor. Ela sabe que o tal detetive vai reconhecê-la. Vai juntar as peças e concluir que o suicídio foi simulado para que ela pudesse fugir do marido, que ele a encontrou, que telefonou de um celular irrastreável naquela noite. E vai deduzir que ela o matou.

Karen está morrendo de medo. É só uma questão de tempo.

E quanto a Tom... O que ele vai pensar quando descobrir que ela é uma farsa, que, quando os dois se casaram, ela já era legalmente casada com outro homem? O que ele vai pensar quando tentarem convencê-lo de que ela é uma assassina?

Ela se veste às pressas e pega o cartão de Jack Calvin na carteira. Confere o número no verso. O advogado disse que ela poderia ligar para aquele número a qualquer hora. Senta-se no sofá da sala, mas, antes que possa fazer a ligação, o telefone toca. Sobressaltada, atende.

— Alô?

— Aqui é o detetive Rasbach.

Eles sabem.

— Oi — Karen consegue responder, o peito contraído.

— Gostaríamos que a senhora viesse à delegacia para responder a algumas perguntas. Seria totalmente voluntário, é claro. A senhora não é obrigada.

Por um instante, ela não consegue se mexer. O que deve fazer?

— Por quê? — pergunta.

— Temos mais algumas perguntas — repete o detetive.

— Vocês identificaram o homem que morreu?

— Ainda não.

O coração bate acelerado. Ela não acredita nele.

— Tudo bem. Quando vocês gostariam que eu fosse?

Karen tenta manter um tom de voz despreocupado, para que ele não note que está apavorada.

— Qualquer horário na parte da tarde seria ótimo. A senhora sabe onde fica a delegacia?

Ele lhe informa o endereço, mas ela não está mais prestando atenção.

Assim que desliga o telefone, Karen vai para o quarto e começa a fazer a mala.

Capítulo Vinte e Oito

TOM PEGA O CELULAR na mesa e se prepara para sair, embora seja apenas início de tarde. Sem olhar direito para a secretária, anuncia:

— Não volto mais hoje.

Ele sai do prédio em direção ao estacionamento.

Dirige até o rio e fica observando a água correr. Mas não consegue se acalmar.

Não conhece a própria esposa. Onde as mentiras começaram? E quando irão parar? Sente as lágrimas se formarem, esfrega os olhos.

De repente, sente necessidade de confrontá-la. Não suporta mais a tensão que há entre eles, o estresse de viver sob a vigilância da polícia, as provocações daquele detetive medonho. Volta para o carro e se põe a caminho de casa acalentando sua fúria, para ter coragem de confrontar Karen. Quando estaciona na frente de casa, sente uma pontada de medo. O que o aguarda dessa vez?

Karen não está esperando por ele àquela hora: ainda é começo de tarde. Ele entra em casa silenciosamente. Quer surpreendê-la, ver o que ela anda fazendo quando sabe que ele não está em casa.

Tom percorre todo o primeiro andar: ela não está ali. Sobe a escada acarpetada e atravessa o corredor, até o quarto. Para em frente ao vão da porta, o coração se despedaçando com o que vê.

De costas para ele, ela se encontra absorta no ato de fazer a mala. Seus movimentos são rápidos, apressados. *Está fugindo. Será que pelo menos iria contar isso a ele?*

Tom abre a boca para chamá-la, mas não sai nada. Fica ali parado, observando a mulher que ama se preparando para deixá-lo sem nem se despedir.

Ela se vira de súbito e o vê. Leva um susto. Então os dois se encaram por um bom tempo, sem dizer nada.

— Tom — murmura ela, finalmente.

Ele vê lágrimas brotando nos olhos dela. Karen não faz menção de abraçá-lo. Tom também não se mexe.

— Aonde você vai? — pergunta, com frieza, embora saiba que aquilo não importa.

Ela está indo embora e não importa para onde vai. Está indo embora para não ser indiciada por assassinato. A essa altura, ele não sabe nem se deseja impedi-la.

— O detetive Rasbach ligou agora há pouco — diz ela, a voz trêmula. — Quer que eu vá à delegacia para um interrogatório.

Tom a encara, esperando mais. *Me conte*, pensa. *Me conte a porra da verdade.*

— Não quero ir — murmura ela, desviando os olhos. — Não quero deixar você.

As lágrimas agora escorrem pelo seu rosto.

— Você matou aquele homem? — pergunta Tom, num murmúrio desesperado. — Me diga.

Ela o encara, apreensiva.

— Não é o que parece — balbucia.

— *Então me diga o que é* — pede Tom, com raiva, olhando para a mala em cima da cama, metade das roupas ainda por guardar, então fixando o olhar em Karen. — Quero saber o que aconteceu. Quero ouvir de você *e quero que me diga a verdade.*

Tom quer que ela diga que é inocente. É tudo o que deseja. Para poder abraçá-la e então decidir o que fazer. Quer defendê-la, se for possível. É apaixonado por ela, isso não mudou. Fica surpreso com o fato de ainda poder amá-la mesmo sem confiar mais nela. Quer voltar a confiar. Quer que Karen seja sincera.

— É tarde demais — lamenta-se Karen, desabando na cama, cobrindo o rosto com as mãos. — Eles sabem. Devem saber!

— Sabem o quê? O que eles sabem? Me diga! — implora Tom.

— Ele era meu marido — balbucia ela, fitando-o.

— Quem? — pergunta Tom, a princípio sem entender.

— O homem que morreu. Era meu marido.

Não, pensa Tom. *Não. Isso não pode estar acontecendo.*

Ela o encara, os olhos marejados.

— Eu fugi dele. Tinha medo — murmura. — Ele era violento. Dizia que, se eu o abandonasse, se eu sequer *tentasse* abandoná-lo, ele me mataria.

Enquanto ouve isso, Tom se sente entorpecido de medo. O medo é enorme. Mas seu coração também se enche de um grande desejo de confortá-la, de protegê-la.

— O nome dele era Robert Traynor — continua Karen, a voz monocórdia. — Nós nos casamos há seis anos e morávamos em Las Vegas.

Las Vegas? Ele não consegue imaginá-la em Las Vegas.

— Assim que nos casamos, ele mudou. Era como se fosse outra pessoa. — Ela se encolhe, respira fundo. Tom permanece imóvel, olhando para ela. — Eu me dei conta de que jamais ia conseguir me livrar dele. Não podia abandoná-lo, não podia me divorciar dele. Sabia que uma ordem judicial para mantê-lo afastado não ia adiantar nada. Sabia que, se eu fugisse, ele ia me procurar até o fim do mundo.

Ela diz isso com amargor, a voz rouca. Ergue a cabeça, os olhos cheios de remorso.

— Desculpe — pede. — Eu não queria magoar você. Amo você, Tom. Só queria manter você longe disso tudo. — Lágrimas descem em cascata pelo rosto dela, o cabelo está emaranhado. — Depois que fugi dele, só quis fingir que aquela parte da minha vida nunca aconteceu. — Ela desvia os olhos, em desalento. — Quis apagar o passado.

Ela se detém.

Tom a encara, condoído, mas também ressabiado. Sabe que há mais por vir.

Ela parece decidir recomeçar.

— Simulei a minha morte. Era o único jeito de ter certeza de que ele não ia me procurar.

Tom permanece imóvel, ouvindo-a, a cada segundo mais desesperado. Ela conta tudo: que conseguiu uma identidade nova e simulou a queda da ponte da represa Hoover. Ele agora tem certeza de que ela está dizendo a verdade, mas está mais estarrecido do que nunca com o rumo que a história está tomando.

— Algumas semanas atrás, comecei a notar umas coisas que me assustaram.

— Que tipo de coisas?

Ela levanta a cabeça, olha para ele.

— Alguém estava entrando aqui em casa. Você se lembra de quando telefonei para o seu escritório perguntando se você tinha passado em casa à tarde? Falei que devia ter deixado a janela aberta. Mas não era verdade. Alguém tinha vasculhado as minhas coisas, aberto minhas gavetas. Eu tinha certeza disso. Você sabe como sou organizada. Eu sabia que as coisas não estavam no lugar certo. Fiquei apavorada. Deduzi que fosse ele. — Karen o encara, angustiada. — Acho que ele estava entrando aqui fazia algumas semanas, quando não estávamos em casa. — Ela estremece. — Uma vez, notei que parecia que alguém tinha se deitado na cama. Comecei a tirar fotos com o celular de manhã, antes de sair para o trabalho. Às vezes via que os objetos tinham mudado de lugar. Não sabia o que fazer. Não podia contar isso para você.

Ela volta os olhos para ele, cheios de súplica.

— Por que você não podia contar isso para mim, Karen? — pergunta Tom, em desespero. — Eu teria entendido. Teria ajudado você. Nós poderíamos ter decidido o que fazer juntos. — *Então quer dizer que ela confiava tão pouco assim nele*, pensa Tom? Ele a teria ajudado, se ela tivesse sido sincera. — Poderíamos ter ido à polícia. Eu não teria deixado esse homem machucar você.

Ele pensa: *Agora você não seria assassina, e nossa vida não estaria arruinada.*

— Minha memória começou a voltar — confessa ela. — Ontem à noite, não quando estávamos lá, onde tudo aconteceu, mas depois, quando o telefone tocou. Comecei a me lembrar. — Ela enxuga os olhos com o dorso da mão. — Ele me ligou naquela noite. — O rosto dela fica ainda mais pálido à medida que conta o resto. — Disse: "Oi, Georgina." E a voz era exatamente igual: ao mesmo tempo suplicante e ameaçadora. Era como se eu estivesse outra vez lá, com ele.

Tom nota que os olhos dela estão vidrados, a voz sem mudar de tom.

— Eu quis desligar, mas precisava saber o que ele pretendia fazer. Sabia que ele tinha me encontrado, que tinha entrado aqui em casa. Estava apavorada.

Ela começa a tremer.

Tom se senta na cama, ao lado de Karen. Abraça-a. Sente o corpo dela tremer. Sente o próprio coração bater com força. Precisa ouvir o restante da história, precisa ouvir tudo. Precisa saber qual é a situação deles antes de decidir o que fazer.

— Ele disse que eu devia estar me achando muito inteligente, por enganar todo mundo. Mas que eu não o enganei. Ele ficou me procurando. Não sei como me encontrou. Disse que, se eu não podia ser dele, não seria de mais ninguém. Pediu que eu o encontrasse naquele restaurante. — Ela fita Tom com pavor nos olhos. — Disse que, se eu não fosse, ele mataria você! Sabia tudo sobre você! Sabia onde nós morávamos!

Ele acredita nela agora, em cada palavra. Abraça-a forte, deixa-a chorar. Ela soluça em seu peito. Ele a beija na testa, tentando decidir o que fazer. Por fim, ela se desvencilha do abraço e conta o resto, os olhos fixos no chão:

— Peguei a arma que tinha escondida, para o caso de ele me achar, e fui encontrá-lo. Parei o carro naquele estacionamento e me dirigi à porta dos fundos do restaurante. — Ela o encara. — Juro,

Tom, eu não pretendia matá-lo. Levei a arma para me proteger. Queria dizer a ele que iria à polícia, que contaria tudo, que já não tinha mais medo dele. Não estava raciocinando direito, deveria ter ido direto à delegacia, agora sei disso. Quando cheguei ao restaurante, a porta dos fundos estava aberta. Eu me lembro de botar a mão na maçaneta... mas não me lembro de mais nada. Depois disso, tudo ainda é um grande borrão. Não sei o que aconteceu depois disso, Tom. Juro para você.

Ele fita o rosto assustado de Karen. Será que ela não se lembra mesmo? Ela desaba, exausta, em seus braços, chorando. Tom a embala.

Portanto, agora ele sabe. Karen teve motivo para fazer o que fez. Ele não pode condená-la. Talvez ela não se lembre mesmo. Talvez seja difícil aceitar. Ela levou a arma. Tom compreende isso. Mas também levou as luvas. Parece que tinha intenção de matá-lo. O que eles devem fazer agora?

Ela se senta direito na cama agora, o rosto molhado de lágrimas, os olhos inchados.

— Devo ter entrado em pânico. E saí dirigindo rápido, sem nem olhar para os sinais, até bater naquele poste.

— O que aconteceu com a arma? — pergunta Tom.

— Não sei. Devo ter deixado lá. Evidentemente não estava no carro. Imagino que alguém tenha encontrado e roubado.

Tom teme o que ela pode ter feito. Sente o coração bater acelerado ante a terrível incerteza da posição deles. E se alguém entregar a arma à polícia?

— Minha nossa — murmura.

— Desculpe — repete ela, em desalento. — Eu não queria contar nada para você. Não queria perder você. E também não quero que você se meta em confusão. Esse é um problema meu. Que eu preciso resolver. Não posso envolver você nisso.

— Eu *já estou* envolvido nisso, Karen. — Ele a segura pelos braços e olha dentro de seus olhos marejados. — É função do advogado solucionar isso. Vai ficar tudo bem. Você estava com medo. Tinha motivo para fazer o que fez.

— Como assim? — pergunta ela, se afastando dele. — Ainda acredito que não o matei, Tom. Acho que eu não teria conseguido fazer uma coisa dessas.

Ele a encara, sem conseguir acreditar.

— Então quem foi?

— Não sei. — Karen olha para Tom como se estivesse magoada por ele duvidar dela. — Eu não era a única pessoa que o odiava.

Ele a abraça mais uma vez para não ter de olhar dentro de seus olhos e murmura:

— Não fuja. Fique para enfrentar isso. Não me abandone.

Capítulo Vinte e Nove

UMA HORA DEPOIS, Karen e Tom estão mais uma vez no escritório de Jack Calvin. Karen lavou o rosto e retocou a maquiagem. Está calma, quase estoica, diante do infortúnio. Sente conforto no apoio de Tom. No entanto, está apavorada com o que pode acontecer.

— Entrem — diz Calvin, profissional. Ele reorganizou a agenda para este encontro. Não há trivialidades hoje. — Sentem-se.

Ao se acomodar na cadeira, Karen pensa que, sempre que vem a este escritório, as coisas estão piores.

— O que houve? — pergunta Calvin, avaliando a fisionomia de ambos.

Ela olha dentro dos olhos do advogado.

— O detetive Rasbach me pediu que eu fosse à delegacia agora à tarde, para responder a algumas perguntas. Eu gostaria que você me acompanhasse.

Calvin olha de um para o outro.

— Por que você tem que ir? Não é obrigada. Não está presa.

— Mas talvez eu seja presa, em breve — responde Karen.

Jack Calvin não parece tão surpreso quanto poderia, considera Karen. Ele pega um bloco amarelo e aquela mesma caneta sofisticada que ela já conhece da última vez que esteve ali e aguarda.

— Talvez seja melhor eu começar do início — decide ela, respirando fundo. — Simulei meu suicídio e desapareci para fugir de um marido violento. Estou vivendo com uma nova identidade.

— Tudo bem — assente Calvin.

— Isso é crime?

— Depende. Não é crime simular a própria morte, mas você pode ter cometido outros delitos ao fazer isso. E assumir identidade falsa é fraude. Mas vamos deixar isso para depois. Qual era o seu nome?

— Georgina Traynor. Eu era casada com Robert Traynor. É o homem que estão tentando identificar, o homem que foi assassinado naquela noite.

Ela se vira para Tom em busca de apoio, mas ele está olhando para o advogado.

Agora Calvin parece preocupado. Ela sabe o que a situação sugere.

Evidentemente agitado, Tom diz:

— Assim que o identificarem, vão descobrir tudo. Irão saber que a esposa dele morreu. Já sabem que a Karen assumiu uma nova identidade, que Karen Fairfield não é o nome dela. Estiveram no meu escritório para me falar isso.

Karen se vira para ele, horrorizada. Então Tom já sabia. E os detetives já sabem.

— Você não me contou nada disso — protesta ela.

Mas ele desvia os olhos e volta a encarar Calvin.

— O importante é o que eles podem provar — aponta o advogado, debruçando-se sobre a mesa. — Então me conte o que aconteceu naquela noite — pede. — E, por favor, não se esqueça: tenho uma obrigação para com o tribunal de não mentir, por isso não diga nada que poderia me colocar em uma situação complicada.

Ela hesita.

— Ainda não me lembro de tudo, mas posso contar o que lembro.

Ela conta a Calvin o que relatou mais cedo ao marido, sem mencionar nada sobre a arma. Conta todo o restante, até o momento em que abriu a porta do restaurante.

Calvin a encara, como se tentasse decidir se deve acreditar nela ou não. Um silêncio agourento toma conta da sala.

— Hipoteticamente, você poderia estar armada?

Ela olha para ele, hesitante.

— Hipoteticamente, poderia haver uma arma — responde.

— Haveria a chance de descobrirem que essa arma hipotética era sua, caso fosse encontrada?

Ele a observa, preocupado. No entanto, a arma foi comprada de forma ilegal, não está registrada no nome dela. Ninguém poderá dizer que é dela, caso seja encontrada. E não há impressões digitais, disso Karen tem certeza. Jamais encostou na arma com as mãos descobertas.

— Não — responde com convicção.

— Mesmo se fosse encontrada — insiste ele.

— Não — repete ela, balançando a cabeça.

Calvin se recosta na cadeira, que range um pouco, e se mantém em silêncio, refletindo. Então se inclina outra vez para a frente, pousando ambas as mãos em cima da mesa.

— Faremos o seguinte: vamos esperar para ver se eles têm material suficiente para indiciar você. Com certeza terão, quando o identificarem. As evidências circunstanciais são fortes. Serão suficientes. Mas prová-las no tribunal é outra coisa.

— Mas... — começa Karen.

Calvin a encara.

— Mas o quê?

— Não posso tê-lo matado — afirma ela. — Não posso. Acho que não seria capaz.

O advogado e o marido estão olhando para ela. Tom rapidamente desvia o olhar, como se estivesse constrangido. Mas o advogado a encara.

— E quem você acha que o teria matado? — pergunta.

— Não sei.

— Você tem alguma suspeita?

Ela olha para Tom e volta a encarar o advogado.

— Ele devia ter inimigos.

— Que tipo de inimigos?

— Inimigos de trabalho.

— Ele trabalhava com o quê? — pergunta o advogado.

— Era antiquário. Não sei se o comércio estava todo dentro da lei, mas sei que era melhor não perguntar. Ele conhecia umas pessoas de reputação duvidosa.

Faz-se um silêncio que parece durar uma eternidade. Karen se mantém imóvel na cadeira. A ideia de ser julgada por assassinato a deixa horrorizada. Sentada no escritório do advogado, ela se dá conta de que é tarde demais. *Eu deveria ter fugido*, pensa.

Por fim, diz:

— O detetive Rasbach está me esperando na delegacia hoje à tarde.

— Você não vai — afirma Calvin. — Eles que esperem até ter indícios suficientes para prender você. Agora me conte como você fugiu de Robert Traynor.

Ela conta tudo: os meses de planejamento, escondendo dinheiro, indo em segredo a um abrigo para mulheres em busca de apoio, até o dia da fuga, na ponte da represa Hoover. Com a voz apática, acrescenta:

— De certo modo foi fácil, porque eu não tinha família para deixar para trás. Meus pais estavam mortos, eu não tinha irmãos. Não tinha seguro de vida, por isso sabia que não haveria nenhuma seguradora investigando a minha morte. Achei que eu ia conseguir levar tudo a cabo e estava desesperada. Achava que não tinha nada a perder.

Quando ela termina de falar, faz-se um longo silêncio.

— O que você fez com a bolsa? — pergunta Calvin, afinal.

— Ah, é. — Ela se detém, lembrando-se. — Eu precisava me livrar dela, mas não podia simplesmente jogá-la pela janela. Tudo ali me denunciava. Por isso botei umas pedras pesadas dentro da bolsa e a atirei num lago, na calada da noite.

Tom desvia os olhos, como se não suportasse imaginá-la fazendo isso.

— Sei que isso deve parecer coisa de alguém com muito sangue-frio — admite Karen, olhando para ambos, quase que os desafiando —, mas o que vocês teriam feito no meu lugar? — Como nenhum deles responde, ela diz: — Claro, vocês nunca *estariam* no meu lugar. Que maravilha, como deve ser fácil ser homem!

Tom lança a ela um olhar apaziguador, como se quisesse se desculpar por todos os homens do planeta.

Karen se volta para ele:

— Eu queria contar isso tudo para você em algum momento. Mas nunca achei uma boa hora. — Ignorando o advogado, como se ele nem estivesse na sala, ela pergunta: — Quando eu deveria ter contado? No começo? O que você iria querer com uma mulher que fugiu do marido para adotar uma nova identidade? Depois? Você teria ficado magoado, teria se sentido enganado, como está se sentindo agora. A verdade é que nunca era uma boa hora para contar.

Ela soa quase indiferente. Não está exatamente se desculpando. Fez o que precisava fazer. E aí está o resultado.

Tom aperta a mão dela, mas não olha nos olhos da esposa. Olha para a mão dela na sua.

Capítulo Trinta

QUANDO ELES ESTÃO saindo do escritório, Calvin diz:

— Provavelmente não vão demorar a identificar a vítima, e aí as coisas vão ficar complicadas. Vocês precisam estar preparados.

Ele encara ambos, detendo o olhar mais sobre Tom, como se sentisse que, dos dois, ele é o menos preparado para o que está por vir.

Tom desconfia de que o advogado tem razão. Karen é muito mais forte do que ele poderia supor. Não consegue se imaginar simulando a própria morte para fugir de um maluco e recomeçar a vida como outra pessoa. Ela deve ter nervos de aço. Ele não sabe se gosta de pensar na esposa assim ou não.

Ao cruzar o estacionamento, está apavorado. A vida deles entrará numa nova esfera de horror. Karen provavelmente será indiciada por assassinato. Irá a julgamento. Talvez seja condenada. Ele não sabe se é forte o bastante para suportar isso, se o amor deles sobreviverá ao que está por vir.

Dirige mantendo a atenção no trânsito, sobretudo porque não quer olhar para a esposa. Ainda assim, sente os olhos dela sobre ele.

— Desculpe — murmura Karen. — Eu não queria que nada disso estivesse acontecendo.

Ele teme ouvir a própria voz, de modo que não responde nada. Engole em seco, sem tirar os olhos no trânsito.

— Eu não deveria ter aceitado me casar com você sem antes ter contado tudo — balbucia ela.

Ocorre a ele, então, que os dois não são de fato casados. Quando fizeram os votos, ela já era legalmente casada com outro homem. Ele sente a cabeça girar. Os votos de Karen não foram válidos. Ele precisa conter o ímpeto de parar o carro e pedir que ela desça.

De algum modo, continua dirigindo.

— Está tudo bem — diz Tom. — Vai ficar tudo bem.

Ele está dizendo isso no piloto automático, sem acreditar de verdade no que fala.

Talvez, se conseguisse abraçá-la, sem olhar em seus olhos, ficasse bem. Precisa de um instante para colocar a cabeça no lugar, mas está dirigindo.

Os dois ficam em silêncio. Quando chegam à casa deles, Tom diz:

— Preciso voltar para o trabalho, mas não demoro. Volto para o jantar.

Ela assente.

— Tudo bem.

Ele para o carro e, antes de ela descer, abraça-a forte. Por um instante, tenta esquecer tudo que aconteceu, se concentrando na sensação de tê-la nos braços. Ao se afastar, pede:

— Não fuja. Promete?

— Prometo.

Ele olha dentro dos olhos dela. Mesmo agora, não sabe se acredita nela. Será a vida sempre assim daqui para a frente?

Ele dá ré no carro e avança para o centro da cidade. Não tem nenhuma intenção de retornar ao trabalho. Estaciona no lugar de costume, à margem do rio, desejando poder se limpar de toda aquela sordidez, mas sabendo que não pode, que jamais poderá.

Brigid estava fazendo um casaquinho de bebê amarelo-claro para uma conhecida grávida, mas chegou à conclusão de que não consegue, por isso começou a fazer um suéter listrado para si mesma. No entanto, a peça cai de seu colo quando ela olha para o outro lado da rua. O corpo se contrai, ela se inclina para a frente.

Tom e Karen estão chegando, mas, em vez de descerem do carro, permanecem lá dentro por alguns instantes. Brigid espera. Agora Karen salta do veículo, mas Tom continua sentado ao volante. Brigid fica imaginando aonde eles terão ido. Com frequência, pensa em Tom e Karen, imagina onde estão, o que estão fazendo, visualiza a vida deles. É como se estivesse viciada num programa de TV muito bom e não visse a hora de descobrir o que vai acontecer no episódio seguinte.

Bob diz que ela é obsessiva. Reclama, alega que isso não é normal. Diz que ela ficou obcecada pela vida dos Krupps porque está sempre sozinha, entediada, sem nada para fazer o dia inteiro. Diz que ela é inteligente demais para ficar sem fazer nada.

Mas ele não entende. Não sabe.

Ela observa Tom dar ré no carro e voltar por onde veio. Pela janela aberta do carro, vê que o rosto dele está muito sério. Fica se perguntando se os dois brigaram. Volta a atenção para Karen, que agora abre a porta de casa. Pela postura dela e pela forma como deixa os ombros caídos, nota que ela está desolada. Talvez tenham *mesmo* brigado.

Brigid larga o material do tricô sobre a mesinha de centro, tranca a porta de casa, atravessa a rua e toca a campainha da casa da vizinha.

Quando Karen atende à porta e se depara com ela, Brigid nota que a amiga se mostra um pouco reticente, até mesmo fria. Por que não está contente em vê-la?

— Oi, Brigid — cumprimenta-a, sem abrir a porta por completo. — Acabei de chegar. Estou com dor de cabeça. Na verdade, ia me deitar um pouco até a hora do jantar.

— Ah — solta Brigid. — Achei que você estivesse com cara de quem precisa de um ombro amigo. — Ela abre o sorriso mais afetuoso possível. — Está tudo bem?

— Está, sim, tudo bem — responde Karen.

Ela hesita, e Brigid se mantém firme, até Karen abrir finalmente a porta.

Elas se sentam na sala. Karen parece exausta. Os olhos estão inchados, como se ela tivesse chorado, e seu cabelo perdeu o brilho. Como ela mudou em tão poucos dias.

— Por que você não me conta o que está acontecendo? — sugere Brigid. — Talvez ajude.

— Não tem nada acontecendo — diz Karen, passando a mão no cabelo escorrido.

Mas Brigid sabe que ela está mentindo. Vem observando tudo se desenrolar do outro lado da rua. E Karen está aflita demais para que nada esteja acontecendo. Brigid não é idiota. Karen deveria saber disso.

— Está tudo bem entre você e o Tom? — pergunta, de súbito.

— O quê? — surpreende-se Karen. — Como assim?

— Acabei de vê-lo passar, e ele parecia chateado. E você está nitidamente abalada. Isso tudo deve ser difícil para ele — observa Brigid, com delicadeza. — O acidente, a polícia. — Quando Karen olha para ela, Brigid se corrige: — Deve ser difícil para vocês dois. — Karen volta os olhos para a janela. Depois de um breve silêncio, a vizinha pergunta: — Você se lembrou de alguma coisa que possa ajudar a polícia?

— Não — mente Karen. — E você, como está? — pergunta, tentando mudar de assunto.

— Karen, sou eu. Você pode me dizer qualquer coisa.

Brigid se ressente do fato de Karen ser tão fechada, de não dividir os detalhes íntimos de sua vida com ela. Brigid já se abriu com Karen sobre sua dificuldade em engravidar, sobre os infrutíferos tratamentos de fertilidade. Karen, por sua vez, nunca fala nada. Mesmo agora, quando as coisas parecem longe de estar perfeitas e fica claro que ela precisa de uma amiga. Como deve ser estranho para Karen, considera Brigid, que as coisas não estejam perfeitas.

Deveria haver mais igualdade entre amigas. Para Brigid, Karen não se dedica à amizade delas como poderia. Brigid batalhou muito por essa amizade. Karen nem imagina como foi difícil. O que ela precisou engolir. Não sabe nada sobre ela e Tom, sobre como, durante esse tempo todo, foi difícil, ver Karen e Tom juntos. Precisar fingir que isso não a incomoda. Muitas vezes, ficou tentada a abrir o jogo, mas sempre se segurou.

Na verdade, Karen nunca se interessou muito pela vida dela, percebe Brigid agora. Não tanto como Brigid se interessa pela vida dela. Por exemplo, nunca mostrou muito interesse pelo blog de tricô, algo que sempre a aborreceu. Brigid Cruikshank é uma deusa do tricô na Internet. Mas Karen não gosta de tricô e não se importa.

— Obrigada pela preocupação, Brigid — agradece-lhe Karen. — Você é uma excelente amiga. — Ela abre um sorriso. Brigid sorri para ela também. — Minha dor de cabeça está piorando. Acho melhor eu me deitar.

Karen se levanta do sofá e acompanha a amiga à porta.

— Espero que você melhore — diz Brigid, abraçando-a.

Ela atravessa a rua de volta para sua própria casa vazia e se acomoda de frente para a janela com o tricô no colo, esperando Tom voltar para casa.

Já é quase fim de tarde, e parece óbvio que Karen Krupp não irá comparecer à delegacia voluntariamente. Rasbach considera os próximos passos quando Jennings aparece em sua sala dizendo:

— Acho que temos uma pista. — Rasbach ergue os olhos. — Recebi um telefonema do dono de uma casa de penhores com quem conversei depois que encontramos o corpo. Ele disse que um garoto acabou de penhorar um relógio e um anel.

— Ele conhece o garoto?

— Conhece.

— Vamos — anima-se Rasbach, pegando o coldre de ombro e o paletó.

Quando eles chegam à casa de penhores, a loja está vazia, à exceção do proprietário, atrás do balcão encardido. O homem cumprimenta Jennings, reconhecendo-o, e morde o interior da bochecha.

— Este é o Gus — apresenta Jennings. O homem cumprimenta Rasbach. — Você pode nos mostrar os objetos?

O homem se agacha atrás do balcão e deposita um relógio sobre o mostruário de vidro. Ao lado do relógio, deixa um pesado anel de ouro.

Os detetives avaliam os objetos.

— Parecem caros — considera Rasbach.

— E são. Rolex legítimo.

Rasbach calça um par de luvas de borracha e examina primeiro o relógio, depois o anel, procurando qualquer marca de identificação, mas não há nada. Decepcionado, coloca os objetos novamente sobre o mostruário.

— Como o garoto disse que conseguiu os objetos?

— Falou que os encontrou.

— Qual é o nome do garoto?

— O negócio é o seguinte — começa Gus. — Eu conheço o menino. Ele tem só 14 anos. Não quero que ele se meta em confusão.

— Eu entendo — assente Rasbach. — Mas precisamos saber se ele encontrou alguma outra coisa, algo que identifique o homem morto, que nos ajude na investigação. Não achamos que o menino tenha alguma coisa a ver com o assassinato.

— Só quero que vocês deem um susto nele — diz Gus. — Um susto para que ele tome jeito. Tem crianças demais caindo na criminalidade aqui. Não quero vê-lo seguindo esse caminho.

— Claro, compreendo — assente Rasbach mais uma vez. — Qual é o nome dele?

— Duncan Mackie. Ele mora na Fenton, número 153. Conheço a família. Peguem leve com ele. Mas não leve demais.

Rasbach e Jennings se dirigem ao endereço informado por Gus. Rasbach torce para que essa seja a pista pela qual eles vêm esperando. Bate à porta da casa miserável. Fica aliviado quando uma mulher atende, porque não pode conversar com o menino sem a presença de um adulto responsável.

— A senhora é mãe do Duncan Mackie? — pergunta Rasbach.

A mulher fica alarmada na mesma hora. Quando ele mostra o distintivo, ela fica ainda pior.

— O que ele fez? — balbucia, aflita.

— Só queremos conversar com ele — afirma Rasbach. — Duncan está em casa?

Ela abre passagem para os detetives entrarem.

— Duncan! — grita ela, para o segundo andar.

Rasbach e Jennings se sentam na cozinha minúscula e aguardam.

O menino desce a escada, vê os detetives sentados na cozinha e se detém. Volta os olhos para a mãe, nervoso.

— Senta, Duncan — ordena a mulher.

O menino obedece à mãe, os olhos fixos na mesa. O rosto está vermelho.

— Duncan, somos detetives — explica Rasbach. — Você não precisa falar com a gente. Se quiser, pode pedir que a gente saia. Não está detido. — O menino não diz nada, mas olha para ele, desconfiado. — Estamos interessados no relógio e no anel que você deixou com o Gus.

O menino se endireita na cadeira ainda sem dizer nada, enquanto a mãe o encara.

— Só queremos saber se você também encontrou uma carteira. Algo que nos ajude a identificar o corpo.

— Porra, o Gus... — murmura o menino.

— Duncan! — A mãe o repreende.

— Se você estiver com a carteira — diz Rasbach —, talvez possamos fazer vista grossa em relação a isso.

A mãe do menino parece compreender de súbito do que se trata o assunto.

— É sobre aquele homem morto que foi encontrado perto daqui? — O rosto dela é uma máscara de sofrimento.

O adolescente volta os olhos para a mãe e depois encara os detetives.

— Ele já estava morto quando chegamos. Posso pegar a carteira.

A mãe cobre a boca com a mão.

— Acho que seria uma boa ideia — afirma Rasbach. — Porque isso está deixando a sua mãe nervosa, Duncan. E acho que é melhor você mudar de vida antes que seja tarde demais. Você não quer ir preso, quer?

O menino balança a cabeça.

— Vou pegar. — Ele olha para a mãe. — Fique aqui.

O garoto sobe para o segundo andar da casa, onde evidentemente há um esconderijo que não quer que a mãe descubra.

Depois de alguns instantes, eles o escutam descendo a escada. O menino entrega uma carteira de couro a Rasbach. Ainda contém algumas cédulas.

Rasbach pega a habilitação de motorista.

— Obrigado, Duncan. — Ele se levanta.

Ao sair, Jennings se vira para o menino com brandura nos olhos.

— Continue estudando — aconselha.

Já perto do carro, Rasbach exclama:

— Descobrimos. A vítima é Robert Traynor, de Las Vegas, Nevada.

Rasbach sente a conhecida descarga de adrenalina que acontece quando a investigação avança. Eles entram no carro e voltam para a delegacia.

Logo Rasbach está analisando um material muito interessante. O homem morto, Robert J. Traynor, tinha 39 anos e era um próspero antiquário. Não tinha filhos. E a esposa, Georgina Traynor, havia morrido cerca de três anos antes dele. Rasbach olha para a fotografia de Georgina. Inclina-se para a frente, examinando-a com mais atenção. Imagina-a com o cabelo mais curto, mais escuro. Volta a estudar as datas.

Bingo! Georgina Traynor não morreu. Está viva e mora na Dogwood Drive, número 24.

Capítulo Trinta e Um

KAREN VAI PARA o quarto e se espalha na cama, aliviada por estar sozinha. Brigid a deixou nervosa. Talvez, se dormir um pouco antes de Tom voltar, sua dor de cabeça passe.

Deitada sobre a colcha, fita o teto. Será indiciada por assassinato.

Tudo ainda estaria perfeito, considera, com lágrimas lhe escorrendo pelo rosto, se Robert não a tivesse encontrado. Ela fica se perguntando como ele conseguiu, depois de três anos. Como foi capaz de localizá-la?

Por fim, aninha-se debaixo da manta e, exausta, cai num sono agitado.

Sentado à mesa, Rasbach esfrega os olhos cansados. Pega novamente a fotografia de Georgina Traynor e imagina Karen Krupp em sua confortável casa. Ela provavelmente está desesperada.

Seu pensamento seguinte: ela já esteve desesperada antes, em outra situação, e conseguiu escapar. É uma sobrevivente.

Ele avalia os fatos, como aprendeu a fazer: uma mulher casada simula a própria morte e surge em outro lugar com uma nova identidade. Três anos depois, o marido que ela abandonou é assassinado e, aparentemente, ela esteve no local do crime. Rasbach sabe o que tudo isso sugere, mas não pode tirar conclusões precipitadas.

Se era uma esposa que sofria maus-tratos, que tentava fugir de uma situação insustentável, verdade seja dita, ele se solidariza com ela. Solidariza-se com qualquer mulher obrigada a tomar uma atitude tão extrema para se proteger. Esse tipo de coisa não deveria acontecer, mas ele sabe que acontece, todos os dias. O sistema não consegue proteger essas mulheres, ele sabe disso. Vivemos num mundo imperfeito e injusto.

Rasbach se sente muito melancólico hoje. Não é de seu feitio. Quer solucionar o caso, sempre quer. Acha que sabe o que aconteceu e descobriu o porquê. No entanto, a partir desse ponto, o caso sairá de suas mãos e irá para as dos advogados, e não há como prever o que irá acontecer. A situação toda o deixa deprimido.

Ele pensa em Tom Krupp. Tenta imaginar a situação que o sujeito está enfrentando, mas não consegue. Nunca se casou. Durante todos esses anos, jamais encontrou a mulher certa. Talvez seja culpa de seu trabalho. Talvez ainda a encontre, um dia. E, quando encontrar, diz a si mesmo, dando mais uma olhada na foto de Georgina Traynor, fará questão de investigar pessoalmente e a fundo o passado dela.

Tom já está de volta. Ele e Karen jantaram juntos e em silêncio. A quietude quebrada somente pelos ruídos dos talheres contra a louça. Agora Karen fita a escuridão pela janela da sala, sem vontade de ir para a cama. Ficaria encarando o teto. Lembra a si mesma que não há ninguém lá fora. Robert está morto. Não há ninguém a temer.

Exceto aquele detetive. E ela morre de medo dele.

Tom está no escritório de casa, trabalhando. Karen não sabe como ele consegue trabalhar numa hora dessas. Talvez seja sua maneira de não pensar no assunto. É melhor contemplar uma fileira de números do que um futuro aterrador. Ela não o culpa: seus próprios pensamentos a estão enlouquecendo.

Rasbach voltará. Karen tem certeza disso. Mantém o corpo tenso, como se preparasse uma fuga. Mas fez uma promessa ao marido. Precisa acreditar em Jack Calvin.

Decide tomar um demorado banho de banheira. Talvez isso a ajude a relaxar. Chega à porta do escritório para avisar a Tom. Ele levanta a cabeça, assente e volta a estudar a tela do computador. Ela vai para o banheiro e abre a torneira, tentando escolher entre os diversos tipos de sais de banho. No entanto, que diferença faz, se Rasbach a prenderá de qualquer jeito?

Quando seus olhos se voltam para o toucador, ela congela. Tem alguma coisa errada. O coração acelera, batendo forte contra o peito, e ela se sente ligeiramente tonta. Examina o toucador às pressas, tentando absorver os detalhes. É o perfume. Alguém deixou o vidro destampado.

Karen sabe que não foi ela.

Fita o perfume, paralisada de medo, como se tivesse se deparado com uma cobra enrolada sobre o toucador. Não usou esse perfume hoje, tem certeza disso. E jamais deixaria o vidro destampado.

— Tom! — berra, em desespero.

Mas ele parece não ouvir, o grito abafado pela água da torneira. Ela sai às pressas do banheiro, gritando o nome do marido.

Dá de encontro com ele no vão da porta do escritório.

— O que foi? — pergunta ele, aflito. Antes que ela consiga encontrar as palavras para responder, ele corre ao banheiro, com a esposa atrás dele. — O que foi?

Ele não consegue entender o que a fez ficar tão apavorada, mas se deixou contaminar pelo pânico.

Ela indica o vidro de perfume sobre o toucador, a tampa um pouco atrás.

— Meu perfume. Alguém o deixou destampado. Não fui eu.

Tom volta os olhos para o vidro de perfume e a encara, aliviado, mas também irritado.

— É só isso? Você tem certeza? Talvez tenha deixado destampado e não se lembra.

— Não, Tom, não deixei.

É nítido que ele não acredita nela.

— Karen — murmura —, você está muito estressada. Talvez esteja se esquecendo das coisas. Lembra o que o médico disse?

Eu mesmo mal estou conseguindo assimilar o que está à minha volta. Ontem deixei a chave do carro no trabalho e precisei voltar para pegar.

— Isso é você — responde ela. — Eu, não. — Ela o encara, sentindo os olhos endurecerem. — Não posso me dar ao luxo de deixar escapar detalhes assim — afirma, a voz ganhando uma entonação subjacente de fúria. — Porque, durante anos, se não fizesse a coisa *certa,* se tudo não estivesse *perfeito,* eu apanhava para valer. Por isso presto atenção nos detalhes. E não deixei esse perfume destampado. *Alguém entrou aqui em casa.*

— Tudo bem, fique calma — pede Tom.

— Não me peça que fique calma! — grita ela.

Eles se entreolham. Karen percebe que Tom está tão chocado quanto ela própria com sua reação. Estão ambos estarrecidos. Os dois nunca se comportaram assim um com o outro. Ela volta os olhos para a banheira e fecha a torneira antes que a água transborde.

Vira-se para ele, agora mais calma, porém ainda assustada.

— Desculpe, Tom. Eu não queria gritar com você. Mas alguém deve ter entrado aqui.

— Karen — argumenta ele, empregando um tom de voz apaziguador, como se estivesse conversando com uma criança. — Seu ex-marido está morto. Quem mais poderia entrar aqui em casa? Alguma sugestão? — Como ela não diz nada, Tom pergunta, com delicadeza: — Quer que eu chame a polícia?

Ela não sabe se ele está sendo sarcástico — *Quer que eu chame a polícia por causa de um perfume destampado?* — ou se está apenas exausto, aturdido com tudo o que aconteceu. Mas há algo em sua entonação...

— Não, não precisa chamar a polícia — responde ela. — Pode ir, vou tomar banho.

Quando ele sai, ela tranca a porta.

Capítulo Trinta e Dois

BRIGID PERMANECE SENTADA, olhando pela janela. Jamais se cansa daquilo. De vez em quando, cheira o pulso. Ficará acordada até Tom e Karen irem para a cama, até eles estarem deitados e as luzes se encontrarem todas apagadas.

Bob apareceu em casa para jantar, mas saiu outra vez, para comparecer a outro velório. Esta semana, esteve ausente todas as noites. Ela fica imaginando se é mesmo só trabalho ou se ele está com outra mulher. Chega à conclusão de que não se importa. No entanto, está fervilhando de raiva sob a pele fria e branca, a pele fria e branca que ele não toca há semanas, e os dois deveriam estar tentando ter um filho. Às vezes, odeia Bob. Às vezes, odeia sua vida e todos que fazem parte dela. Só que já não há muitas pessoas que se encaixam nessa descrição. Ela abriu mão de muitas coisas. Menos do blog de tricô. E dos Krupps.

Sobretudo, Brigid se ocupa de Karen e Tom.

Gostaria de... gostaria de ser outra pessoa, de ter outra vida. É disso que gostaria *de verdade*. Fica vagamente surpresa ao se dar conta de que o que mais quer no mundo não é, afinal, engravidar, muito menos de Bob. Desejou isso durante tanto tempo que esse desejo acabou virando algo automático. Que libertador perceber que na verdade quer sinceramente outra coisa, para variar — que na verdade gostaria de ser outra pessoa, de ter outra vida.

Alguém com um marido bonito, atencioso, um marido que *preste atenção* nela. Que volte para casa todas as noites. Um homem que a faça se sentir especial, que a leve para a Europa e a beije do nada, olhando para ela como Tom olha para Karen. Brigid deixa o tricô de lado.

Não tem conseguido resistir à atração que sente pela casa dos Krupps. Às vezes, não consegue deixar de entrar na casa deles e ficar ali, sozinha, imaginando-se morando com Tom. Deitar na cama deles. Vasculhar as coisas de Karen, vasculhar as coisas de Tom. Cheirar as roupas dele: chegou até a pegar uma camiseta antiga para esconder em casa. Experimentar as roupas de Karen na frente do espelho. Usar o batom dela, o perfume. Fingir que é a esposa de Tom.

É fácil fazer isso: ela tem a chave. Tom lhe deu a chave durante o breve caso que os dois tiveram, e ela fez uma cópia antes de devolvê-la. Pode contornar a casa pela viela que dá no parque e, desde que não haja ninguém olhando, entrar pela porta dos fundos.

Ela deixou o copo sobre a bancada naquele dia.

Na verdade, nunca parou de desejar Tom. É tudo uma questão de o que está disposta a fazer para tê-lo de volta.

O pensamento atinge Brigid em cheio, e ela se vê prendendo a respiração por um momento.

Nos últimos tempos, não tem conseguido parar de pensar nela e em Tom juntos, quando foram amantes. Havia uma química forte entre os dois. E era muito bom seduzir Tom, que sempre se mostrava ávido para tentar novidades, disposto a acompanhá-la. Era tudo perfeito, até o dia em que ele terminou com ela e começou a sair com Karen.

No começo Tom não se sentiu à vontade com o fato de ela ser casada, mas engoliu a mentirinha de que o casamento estava mal e se dispôs a dormir com ela assim mesmo. Tudo mudou quando descobriu a verdade — ele a abandonou. *Meu Deus, como doeu!* Ela dificultou as coisas para ele durante um tempo, não conseguiu evitar, estava fora de si. Bob não sabia o que estava acontecendo, mas notou que a mulher andava infeliz. Insistiu para que procurasse ajuda profissional. Por fim, ela se conformou. Até concordou com Tom — de maneira muito civilizada, achava ela — de não contar a Karen sobre o caso. Eles mantiveram o segredo durante todo esse tempo. Ah, quantas vezes já quis confessar a Karen tudo que ela e Tom haviam feito juntos!

Agora recorda-se daquela carga elétrica que atravessou seu corpo algumas noites atrás, quando tocou o braço do Tom. Tem certeza de que ele também sentiu arder de novo a intensa energia sexual que compartilhavam. Com certeza, foi por isso que ele se afastou tão rápido. Ele não pode admitir que ainda gosta dela. É casado agora, é um homem correto demais para isso. Mas Brigid tem certeza de que ele ainda nutre sentimentos por ela.

Fica imaginando se ele já se cansou de Karen. Notou a tensão que vem crescendo entre os dois.

Brigid sabe que Karen a considera sua melhor amiga, embora Karen às vezes não saiba ser uma boa amiga. Ela já a decepcionou várias vezes. É difícil pensar nela da mesma maneira agora, depois de tudo o que aconteceu. Depois de tudo o que Karen fez Tom passar. E sobretudo depois que Brigid se deu conta de que pode tê-lo de volta.

Karen não é sua amiga. É sua rival. Sempre foi.

Todo um novo mundo parece estar se abrindo diante de Brigid, um novo futuro.

Ela se manteve sentada em frente à janela nesses últimos dias, avidamente acompanhando o que se passava do outro lado da rua. Sabe que Karen está numa situação complicada. Imagina que a polícia provavelmente a prenderá por assassinato.

E, quando Karen for presa, Tom ficará sozinho, totalmente arrasado. Duvidará de Karen e de tudo o que os dois tinham juntos. E Brigid estará ali, ajudando-o a se recuperar. Conduzindo-o na direção certa. Para longe de Karen. Em direção a *ela própria*.

Ela sentirá de novo aquela eletricidade entre os dois, tem certeza disso. E ele não vai conseguir resistir ao ímpeto de voltar para ela. Os dois nasceram um para o outro.

Tudo acontece por um motivo.

Ela vai abandonar o Bob — ele decerto mal vai notar — e vai se mudar para a casa do outro lado da rua. Terá tudo o que sempre quis. A casa belamente decorada de Karen. As roupas sofisticadas dela: por um acaso do destino, as duas vestem o mesmo tamanho. Seu marido bonito e atencioso. Imagina que Tom também tenha uma boa contagem de espermatozoides, ao contrário de seu marido imprestável.

Brigid se anima com a perspectiva do futuro ao fitar as luzes do outro lado da rua.

Tom está deitado, sem conseguir dormir. Karen volta e meia se mexe na cama.

Foi só naquele momento de extrema tensão no banheiro, com Karen gritando com ele, que Tom de fato começou a entender tudo pelo que a esposa devia ter passado, o que aquilo provavelmente fez com ela. Pela primeira vez, ele se deu conta de que há uma grande parte dela à qual nunca teve acesso. Uma parte sombria, colérica, uma história triste que ela jamais dividirá com ele. Agora conhece o esboço geral do que ela viveu, mas não sabe todos os terríveis detalhes. Esse conhecimento súbito do que aconteceu com ela, da infelicidade no âmago de seu passado, deixou-o abalado. Ela não é mesmo a mulher que ele pensava que fosse. É muito mais forte, e muito mais sofrida, do que ele supunha.

Não é a mulher pela qual se apaixonou. A mulher pela qual se apaixonou, Karen Fairfield, era uma miragem.

Ele nunca conheceu Georgina Traynor. Se tivesse conhecido, será que teria se apaixonado por ela? Teria sido homem suficiente para se apaixonar por uma mulher com o passado dela? Ou teria fugido?

Gosta de pensar que teria se apaixonado por ela da mesma maneira, protegendo-a de tudo aquilo.

Mas as mentiras... Não sabe se conseguirá esquecer as mentiras.

Sim, Karen teve motivos, e bons motivos, para fazer o que fez. No entanto, ela mentiu para ele. Seus votos de casamento foram uma mentira. E ele tem certeza de que ela *continuaria* mentindo caso a polícia não a tivesse encurralado. É isso que o incomoda.

A pergunta que ele fica se fazendo é a seguinte: se ela não tivesse sofrido um acidente naquela noite, se tivesse conseguido se acalmar e voltar para casa, será que inventaria uma história sobre uma amiga que telefonou com um problema, uma história que ele não teria questionado? Será que ela teria ido para a cama com ele à noite, se deitado ao seu lado, sabendo que tinha matado um homem, sem contar nada para ele? Porque Tom não acredita que ela não seria capaz de matar o ex-marido. Depois do surto no banheiro, tem certeza de que *seria*.

Se as coisas tivessem sido apenas um pouquinho diferentes, talvez ele tivesse continuado levando sua vidinha feliz, sem saber do crime que ela havia cometido. Agora, porém, Tom não pode ignorá-lo.

E há mais uma coisa que não consegue esquecer: as luvas. Ela levou as luvas.

Tom tem certeza de que ela pretendia matar o ex-marido. Caso contrário, por que levaria as luvas? Para ele, não há dúvida em relação a isso. Em termos judiciais, tem certeza de que ela é culpada.

Se ele vai conseguir ou não conviver com isso... ainda não chegou a um veredicto.

Capítulo Trinta e Três

NO DIA SEGUINTE, pouco antes do meio-dia, Karen está sozinha em casa quando ouve uma firme batida à porta. Ao avistar os detetives lá fora, sabe que chegou a hora. Tem apenas um instante para se recompor e atender à porta.

Rasbach está mais sério do que nunca. Por isso é que ela desconfia de que eles descobriram quem é o homem morto.

— Podemos entrar? — pergunta o detetive, a entonação inusitadamente cordial.

Ela abre a porta. Quer que tudo acabe logo. Já não aguenta mais a tensão.

— Seu marido está em casa? — pergunta o detetive. Ela balança a cabeça. — A senhora quer chamá-lo? Podemos esperar.

— Não. Não precisa.

Ela se sente, calma, aérea, como se nada disso estivesse acontecendo de fato. É como um sonho, ou como se tudo estivesse acontecendo com outra pessoa. Ela perdeu a chance de fugir. Agora é tarde demais.

— Karen Krupp, a senhora está presa pelo assassinato de Robert Traynor — anuncia Rasbach. — Tem o direito de permanecer calada, pois tudo que disser poderá ser usado contra a senhora no tribunal. Tem direito a um advogado...

Ela estende as mãos para Jennings algemá-la. Sente as pernas cederem. Diz a si mesma que não irá desmaiar. Ouve de muito longe alguém dizer "Segure-a!" e sente braços fortes a ampararem. Então, não sente mais nada.

Tom vai correndo do escritório para a delegacia. Jack Calvin telefonou dizendo que Karen já está lá, presa. O advogado também está a caminho.

Os nós dos dedos de Tom estão brancos de tanto que ele aperta o volante. Ele mantém o maxilar cerrado. Seu mundo está desmoronando. Ele não sabe o que fazer, como agir. Espera que Jack Calvin saiba.

Já vinha esperando por isso, mas ainda assim é um choque. Ninguém se casa imaginando um dia receber a notícia de que a esposa está na delegacia, presa por assassinato.

Ele para num sinal vermelho. Não entende Karen, não entende por que ela fez isso. Havia alternativas. Ela poderia ter contado a ele. Os dois poderiam ter ido à polícia. *Por que ela não procurou a polícia?* Não precisava ter matado o filho da puta.

O sinal abre, e ele avança, impaciente. Está furioso com ela. Por ter mentido para ele, por ter desencadeado essa loucura toda sem necessidade. Ela será encarcerada. Ele terá de visitá-la no presídio. Por um instante, sente vontade de vomitar. Para o carro no estacionamento de um supermercado, esperando o mal-estar passar.

Agora é um alívio que eles não houvessem tido filhos ainda. *Graças a Deus*, pensa, com amargor.

Karen está sentada numa sala de interrogatório, com o advogado à sua direita, aguardando a chegada dos detetives. Antes de serem levados para lá, Calvin disse a ela o que esperar.

— Você tem o direito de permanecer calada e usará esse direito — decretou. — Vamos ouvir as perguntas, sentir o que eles sabem ou imaginam que aconteceu. Você não vai dizer nada. Só depois, quando estiver pronta para dar sua declaração.

Ela assentiu, nervosa.

— Tudo bem.

— É o Estado que precisa produzir provas contra você. Não cabe a você ajudá-los. Cabe a você seguir as minhas instruções. Se fizer o que eu mandar, pode ser que dê tudo certo. Embora, evidentemente, eu não possa prometer nada.

Ela engoliu em seco.

— Os detetives devem ter provas suficientes, ou não teriam me indiciado — balbuciou.

— No tribunal, será preciso provas mais convincentes — argumentou Calvin. — Coragem. Vamos dar um passo de cada vez.

Então, ela foi conduzida à sala.

Tiraram suas algemas, talvez por ela ser mulher, pensa Karen, ou talvez por causa da natureza do suposto crime. Ela provavelmente não é considerada perigosa: acham que matou o marido a sangue-frio, mas com certeza eles não acham que mataria outra pessoa, acham?

Karen leva um susto com o barulho da porta se abrindo. Rasbach e Jennings entram na sala.

— A senhora aceita alguma coisa? — oferece Rasbach. — Água? Café?

Ela faz que não com a cabeça.

Depois da introdução de praxe, o interrogatório filmado começa.

— Sabemos que Karen Krupp é uma nova identidade para a senhora — começa Rasbach —, identidade que a senhora adotou há cerca de três anos.

Ele está sentado de frente para ela, com uma pasta fechada em cima da mesa. Volta os olhos para a pasta, abre-a.

Karen vê na mesma hora uma fotografia sua como Georgina. Reconhece o retrato. Sabe que Rasbach quer que ela veja a imagem. Ela a avalia rapidamente e ergue os olhos.

Ele estuda o conteúdo da pasta em silêncio antes de encará-la.

— Sabemos que, na verdade, a senhora é Georgina Traynor, que foi casada com Robert Traynor, o homem que foi assassinado na semana passada. E sabemos que esteve no local do crime.

Ela não diz nada. Ao seu lado, Calvin também se mantém calado. Parece estar totalmente relaxado, mas alerta. Assim como o detetive sentado à sua diagonal. É um alívio que Calvin esteja aqui. Se ela estivesse sozinha nesta sala com Rasbach, talvez cometesse um erro. Seu advogado, porém, está aqui para se certificar de que isso não vai acontecer.

— Vamos fazer o seguinte — propõe Rasbach. — Vou dizer o que acho, e a senhora apenas confirme se eu estiver no caminho certo.

— Ela não é nenhuma idiota — intervém Calvin.

— Sei disso — assente Rasbach. — A pessoa que consegue simular a própria morte não é idiota. — Ele se vira para Karen. — Talvez devêssemos conversar sobre esse assunto primeiro. Tiro o chapéu para a senhora. É evidentemente uma mulher inteligente.

Ele está tentando convencê-la a falar apelando ao seu ego, pondera Karen. Não vai funcionar. Ela irá falar quando lhe convier, quando estiver pronta. Sabe que será encarcerada, porque Calvin já lhe informou que não há fiança para indiciamento por assassinato. A ideia de ser presa a deixa apavorada.

— Conte como foi — pede Rasbach.

Ela se mantém em silêncio.

— Tudo bem, então conte *por que* a senhora fez isso. Por que simulou uma morte tão elaborada e convincente para recomeçar a vida como outra pessoa? — Como ela continua sem responder, ele diz: — Meu palpite é que estava fugindo do seu marido. Meu palpite é que sofria violência doméstica e precisava abandoná-lo. Mas ele não a deixaria ir. A senhora não podia simplesmente se divorciar: ele a seguiria. Por isso simulou um suicídio. Mas, três anos depois, ele telefona. A senhora está na cozinha, levando sua nova vida. Ouve a voz dele. Fica apavorada, entra em pânico.

Ela o deixa falar. Quer ouvir o que ele tem a dizer. O que ele pensa que sabe.

— Ele pede à senhora que se encontre com ele — prossegue Rasbach. — Talvez a ameace dizendo que, se a senhora não for encontrá-lo, ele a matará. Sabe seu telefone, com certeza sabe seu endereço. Por isso a senhora concorda em encontrá-lo. Sai às pressas de casa, tão transtornada que não pensa em deixar bilhete para o seu marido, não leva o celular nem a bolsa, não tranca a porta. — Rasbach se recosta na cadeira. Ela o observa: os dois se entreolham. Ele aguarda um longo instante. — Ou *talvez* a senhora estivesse raciocinando com muito mais clareza do que estamos imaginando. — Ele se detém, para causar uma melhor impressão. — Talvez haja um motivo para que a senhora não tenha levado o celular nem a bolsa: não queria correr o risco de esquecer nada no local. Talvez não tenha levado o celular porque temia que o aparelho pudesse ser usado para localizá-la. Talvez estivesse raciocinando com muita clareza no fim das contas, porque levou uma arma, um revólver de calibre 38, que, aliás, ainda estamos procurando, e levou também luvas de borracha. — Ele acrescenta: — Para mim, tudo isso indica premeditação.

Rasbach se inclina para a frente e olha dentro dos olhos de Karen. Ela sente medo do olhar dele, mas está decidida a não demonstrar isso. Rasbach ignora o advogado e o outro detetive, como se os dois estivessem sozinhos na sala. Ela precisa lembrar a si mesma de que não está a sós com o detetive, mas os olhos dele a hipnotizam.

Calvin intervém.

— Você está inventando essa arma e não sabe de quem são as luvas. Não pode provar que são da minha cliente.

— Acho que posso, sim — argumenta Rasbach, sem desgrudar os olhos de Karen nem sequer por um momento para responder ao advogado. — Acho que a senhora pegou a arma e as luvas, dirigiu até aquele restaurante abandonado da Hoffman Street e parou o carro no estacionamento lá perto. Entrou no restaurante abandonado, onde Robert Traynor a esperava, e atirou nele a sangue-frio.

Karen permanece calada, lembrando a si mesma que eles não têm a arma que o matou e, mesmo se a encontrarem, o revólver não a incrimina. Está segura em relação a isso. Eles não podem provar que ela estava armada quando foi ao restaurante. Só podem provar que ela esteve no local.

— O que a senhora fez com a arma? — pergunta Rasbach.

Ela sente uma pontada súbita de terror, que tenta esconder. *Ele não sabe da arma*, pensa. Imagina, mas não sabe.

— É bem possível — continua Rasbach —, e mesmo provável, que a senhora tivesse adquirido uma arma ilegalmente. Uma mulher inteligente como a senhora, que simulou a própria morte, enganando todo mundo, uma mulher que recomeçou a vida adotando uma nova identidade e só foi descoberta quando o marido a encontrou... Aliás, como a senhora acha que ele a encontrou?

Ela sente as pernas se retesarem debaixo da mesa, mas não se deixa levar pela conversa.

Rasbach avança a cabeça na direção dela.

— E aí, depois que o matou, *aí* a senhora entrou em pânico. Quando se deu conta de que o havia matado. Largou a arma no restaurante? Foi porque entrou em pânico? Ou porque sabia que não descobriríamos que a arma era sua, porque não tinha suas impressões digitais e não fazia diferença? Ou a senhora levou a arma e a jogou pela janela do carro em algum lugar?

Rasbach se afasta da mesa. O movimento repentino a sobressalta. Ele se levanta e começa a andar pela sala, como se refletisse enquanto fala. Karen, porém, não se deixa enganar. É tudo teatro. Ele é um ator, exatamente como ela. Eles são a plateia um do outro. Ele planejou tudo que pretende dizer.

— Quando chegou ao carro, a senhora tirou as luvas e as deixou no estacionamento. É por isso que sei que a senhora estava entrando em pânico a essa altura. Do contrário, por que deixar as luvas? Poderia haver fragmentos de sua pele, de seu DNA, no interior delas.

Ele volta os penetrantes olhos azuis para ela.

Karen abaixa a cabeça. Começa a tremer e contrai o corpo para parar. Não quer que ele a veja tremendo.

— E ambos sabemos como essas luvas são importantes, não é, Georgina? — Ele se detém na frente dela, que se recusa a erguer a cabeça para sustentar seu olhar. — Porque, se encontrarmos seu DNA nas luvas, elas provam sem sombra de dúvida que a senhora esteve no local do crime. E porque as luvas mostram que houve *intenção*.

Ele puxa a cadeira, senta-se mais uma vez e espera que ela levante os olhos para encará-lo.

— Àquela altura, a senhora estava tão desesperada com o que havia feito que entrou no carro e dirigiu o mais rápido que conseguiu para se afastar dali. Sabemos que a senhora nunca dirige acima do limite de velocidade. Todo mundo ultrapassa o limite de velocidade às vezes, mas a senhora, não. A senhora nunca avança um sinal vermelho. Por quê? Porque não quer jamais ser parada pela polícia. Porque a regra de ouro para a pessoa que adotou uma nova identidade é *não chamar atenção*. E foi isso que a senhora fez, durante anos. Todo mundo com quem falamos ficou chocado com a maneira como a senhora estava dirigindo naquela noite. Não batia com a sua *personalidade*. Eu gostaria de conhecer sua personalidade quando a senhora não está *fingindo ser outra pessoa*.

Rasbach está conseguindo mexer com ela. Ela se sente ameaçada, está irritada, mas precisa manter o controle. Por que o advogado não fala nada? Karen sabe que não pode negar quem é. Os detetives podem facilmente provar que ela é Georgina Traynor. Sabem que ela simulou a própria morte e fugiu adotando uma identidade falsa. São coisas que precisa admitir. Talvez precise admitir que esteve no local do crime. Mas eles não podem provar que ela matou aquele homem. Sabem que ela teria motivos para fazê-lo, e é isso que a apavora. Ela tinha motivos para matar o marido, e todos sabem disso.

— Então digamos que a senhora se desesperou — continua Rasbach. — Entrou no carro, dirigiu rápido demais, perdeu o controle do veículo e bateu num poste. Uma pena. Porque, se não tivesse se desesperado, provavelmente teria ficado impune.

Ela agora o encara. Nesse momento, detesta o homem à sua frente.

— Se tivesse voltado para casa tranquilamente, guardado as luvas na cozinha e inventado uma história para o marido que explicasse sua ausência, ninguém jamais a associaria àquele cadáver no restaurante abandonado. Acabaríamos descobrindo quem ele era e veríamos que a mulher dele havia morrido alguns anos antes, mas não passaria disso. Não haveria nada que a associasse ao crime: nenhum acidente, nenhuma marca de pneu, nenhuma luva. Ninguém descobriria que a senhora não é quem diz ser. A senhora teria continuado levando sua vida tranquila com seu novo marido.

Ela quer dar um tapa no rosto presunçoso dele, mas apenas crava as unhas nas palmas das mãos debaixo da mesa, onde ele não consegue ver.

— Mas o negócio é que entendo por que a senhora fez o que fez. Entendo mesmo. A senhora não quer me dizer como era sua vida com Robert Traynor, mas acho que vamos descobrir no tribunal. Se o Estado provar que a senhora o matou, é claro que a senhora vai querer que todo mundo saiba *por que* o matou. Vai querer traçar o retrato mais monstruoso possível dele. Apoiada. Ele provavelmente *era* de fato um monstro, para levar uma mulher como a senhora a cometer assassinato.

Ela fita a parede, cravando as unhas mais fundo nas palmas das mãos.

— Acho que é só isso, por enquanto — decide Rasbach.

O interrogatório chega ao fim.

Capítulo Trinta e Quatro

BRIGID SABE O QUE ACONTECEU. Viu os detetives chegarem na hora do almoço. Já estava esperando — torcendo — por isso. Viu-os levarem Karen algemada. Mal conseguiu conter a satisfação.

Passou o dia inteiro vigiando a casa, esperando a chegada do Tom para poder confortá-lo. Ele agora está lá sozinho, a vida praticamente destruída. Brigid sabe que é o fim de sua rival: tem certeza de que Karen será condenada. Então Tom poderá recomeçar a vida com ela. Os dois serão felizes juntos, mais felizes do que ele foi com Karen. E ela jamais irá arruinar a vida dele como Karen arruinou.

Um dia, Tom vai compreender que Karen ter sido levada algemada foi a melhor coisa que já lhe aconteceu.

Tom volta para casa em estado de choque. Sua mulher foi presa por assassinato. E ele tem quase certeza de que ela é culpada.

Desnorteado, entra na cozinha e abre a geladeira. Fica ali parado, olhando seu interior, lembrando-se da outra ocasião em que permaneceu no mesmo local, olhando para o interior da geladeira sem enxergar de fato. A noite em que Karen desapareceu. A noite em que tudo começou.

Isso vai destruir o casamento deles. Vai destruir a vida deles. Sua esposa já está enredada nos trâmites do sistema judiciário, o que irá levá-lo à falência. Ele pega uma cerveja. Tira a tampa num gesto quase violento e a atira longe. A tampa bate no armário e cai debaixo da mesa. *O que ele vai fazer?*

Anda pela casa, enfurecido. Não há nada a fazer. Não consegue acreditar que as coisas chegaram a esse ponto. E tem certeza de que tudo só vai piorar nos dias, nas semanas e nos meses que virão pela frente.

Não se dá ao trabalho de preparar algo para comer. Não está com apetite nenhum. Termina rápido a primeira cerveja e volta automaticamente à geladeira para pegar outra. Nunca foi posto à prova assim e não gosta do que vê. É fraco, é covarde e sabe disso. Tem tentado ser forte por Karen, mas ela é muito mais forte e corajosa do que ele. Parece feita de aço.

Ele estuda o próprio reflexo no espelho acima da lareira. Mal se reconhece. O cabelo está desgrenhado de tanto passar a mão nele. O rosto, pálido, abatido. Tom esperava que tudo fosse perfeito ao se casar com Karen. É como se a vida tivesse lhe feito uma promessa no dia de seu casamento e agora a houvesse quebrado. Uma autopiedade terrível o corrói.

Abre a porta de vidro dos fundos e se senta no quintal, a noite de verão caindo sobre ele.

É engraçado, considera agora, depois de três cervejas, até esse momento jamais lhe ocorreu lembrar a dificuldade que havia sido convencê-la a aceitar o pedido de casamento. Claro, agora tudo faz sentido. *Ela já era casada.*

Na primeira vez em que fez o pedido, Karen levou na brincadeira, como se ele não pudesse estar falando sério. Embora tivesse tomado o cuidado de não demonstrar, Tom ficou ao mesmo tempo surpreso e magoado. Por que ela estava tratando o assunto com tanta leviandade? Ele falava sério quando fez o pedido. Os dois estavam deitados numa manta de lã, observando as estrelas. Tinham ido passar o fim de semana num hotelzinho próximo às montanhas Catskill. Ele pegou a manta no banco de trás do carro e encontrou um lugar reservado. Os dois se deitaram nela, ele se apoiou no cotovelo e olhou para ela. Ainda se lembra do brilho do luar em seu rosto, da alegria que havia nos olhos de Karen. Perguntou:

— Quer casar comigo?

E ela riu, como se ele estivesse contando uma piada.

Ele fita as estrelas agora, cintilando na escuridão. Como tudo mudou!

Lembra-se de como escondeu a mágoa e a decepção, tanto naquele momento como nas semanas seguintes. Esperou mais alguns meses, comprou uma aliança com diamante: queria mostrar que suas intenções eram sérias. Ofereceu-lhe a aliança quando eles tomavam um champanhe caro no restaurante preferido dela, no dia dos namorados. Talvez tenha sido um erro, o dia dos namorados. Mas agora não faz diferença. O que ela disse, ele recorda, sentado no escuro do quintal, com a cerveja na mão, foi:

— Por que não podemos ter uma história de amor, em vez de um casamento?

Essa é a história de amor deles, explodindo em seus ouvidos.

Será que hoje ele teria achado melhor se ela não tivesse aceitado afinal, depois de muita insistência? Não sabe e, de qualquer forma, é tarde demais para mudar qualquer coisa.

Mas os últimos dois anos foram os mais felizes de sua vida.

Até tudo isso acontecer.

Ele vê algo se mexer na escuridão, na lateral da casa. Fica paralisado. Não havia acendido a luz do quintal porque não queria atrair mosquitos, por isso está tudo escuro, à exceção do brilho das estrelas. Ele vê alguém se aproximar, mas não sabe quem é. Não pode ser a polícia. Já prenderam sua mulher. Não pretendem prendê-lo também, não é?

Ele imagina que talvez seja Dan, indo visitá-lo para saber como ele está. O irmão telefonou mais cedo, mas Tom não retornou a ligação, e ele deve estar preocupado. Tudo isso passa pela mente de Tom quando ele se levanta, deixando a garrafa de cerveja quase vazia sobre a mesinha de canto, fitando a escuridão.

Não é Dan que avança em sua direção, nota ele, aturdido: é Brigid. Ele não quer conversar com Brigid. Quer voltar para casa e fechar a porta, mas não pode fazer isso.

Ela sempre o deixa pouco à vontade. Foram tão íntimos no passado, era tudo tão desenfreado! Há alguma coisa em Brigid, que ele achou irresistível no começo e que despertou algo inconsequente nele. Logo, porém, ela se mostrou intensa demais para o seu gosto. Era excessivo. Era como se ela pudesse engoli-lo por inteiro. Tom nunca sabia o que esperar. Brigid era emotiva demais. Quando ele terminou o caso, houve algumas semanas de muita ansiedade: medo de que ela contasse ao marido sobre eles, de que Bob a botasse para fora de casa, e ela batesse à sua porta. E, depois, medo de que ela contasse tudo a Karen, floreando o que havia acontecido com mentiras, e destruísse a promissora relação deles. Mas então Brigid pareceu ficar mais calma. E, depois, de forma inesperada, se tornou uma grande amiga de sua mulher. Não havia nada que ele pudesse fazer em relação a isso.

— Oi, Brigid — cumprimenta-a, pronunciando as palavras com cuidado. Não está bêbado, mesmo depois de três cervejas viradas às pressas, de estômago vazio. Está o que alguns chamariam de "alegre", embora não sinta nenhuma alegria. De repente, percebe que não quer ficar sozinho. — Aceita uma bebida?

Ela o encara, surpresa.

— Bati na porta, mas ninguém atendeu. Queria conversar com a Karen — mente. — Ela está em casa?

— Não está, não — responde Tom, notando o amargor que salta de sua voz.

— O que aconteceu? — pergunta Brigid, com inocência.

Ele a observa assimilar o estado medonho dele, a garrafa de cerveja quase vazia sobre a mesinha.

Sabe que seria descabido desabafar com Brigid, mas não há mais ninguém. Naquele momento, ele se dá conta de como se sente solitário sem Karen. Jamais se sentiu tão sozinho assim.

Indica a cozinha.

— Vou pegar uma bebida para você. O que você quer? Cerveja? Ou posso fazer um drinque, se você preferir.

Ela o acompanha para dentro da casa. Tom abre o armário, correndo os olhos pelas garrafas de bebida na prateleira, vendo o que pode oferecer a ela.

Brigid fica atrás dele. Quando ele se vira para perguntar o que ela prefere, ela o fita com tamanha avidez que ele se sobressalta, voltando os olhos para o armário.

— Tem rum, vodca...

— Você pode preparar um martíni? — pede ela.

Ele a encara, perplexo. Quando ela ficou tão requintada? Ele não sabe fazer martíni. Não estava esperando que ela escolhesse algo tão exótico.

— Não sei fazer.

— Pode deixar que eu sei — murmura ela, pondo-se ao lado dele, olhando dentro do armário. Pega as garrafas: vodca, vermute. — Deve ter uma coqueteleira em algum lugar — diz ela, abrindo outro armário.

Os olhos dela se iluminam ao encontrar a coqueteleira prateada, algo que Tom havia se esquecido completamente de que tinha em casa. Mais um presente de casamento sem uso. Ele e Karen não são muito exigentes: em geral, bebem cerveja ou vinho. Ele se lembra de que os dois precisaram de uma dose de uísque algumas noites antes.

— Tem gelo? — pergunta Brigid.

Tom tira o gelo do congelador, aproveitando para pegar outra cerveja. Será a última da noite, promete, girando a tampa enquanto observa Brigid preparando o martíni em sua cozinha como se fosse dona da casa. É estranho estar com ela aqui, e não com sua mulher.

— Onde a Karen está? — pergunta Brigid, terminando de usar a coqueteleira.

Brigid pega no armário uma taça própria para martíni, de um conjunto do qual ele também não se lembrava, e serve o drinque. Leva a bebida à boca e toma um gole, fitando-o com timidez.

Por um instante, Tom se sente confuso. Brigid está perguntando sobre a Karen, que está na cadeia, mas a entonação dela é inapropriada. Parece até que ela o está paquerando, como antigamente. Ele já se arrependeu de tê-la convidado para beber. É perigoso demais.

— O que aconteceu? — pergunta Brigid, agora aparentando estar devidamente preocupada, e ele deduz que decerto imaginou aquilo.

Ele balança a cabeça.

— Nada — responde. — Tudo — diz, em seguida.

— Me conte — pede Brigid.

— A Karen foi presa.

— Presa?!

Ele assente. Precisa esconder o que está sentindo. Não vale a pena começar a ficar íntimo demais de Brigid. Não deveria estar falando absolutamente nada, mas a cerveja soltou sua língua. Mas que diferença faz, se amanhã estará tudo no jornal mesmo?

— Presa por quê? — pergunta Brigid.

Ele fica imaginando se seu rosto trai o medo que sente.

— Assassinato.

Ela põe a mão na boca, deixa a bebida sobre a bancada. Desvia os olhos, como se estivesse desnorteada.

Tom a observa, sem jeito.

Por fim, Brigid pega no armário outra taça de martíni e serve o que restou na coqueteleira. Oferece o drinque para ele.

Tom fita a taça. E pensa: *Por que não?* Ergue o drinque num brinde mudo, cínico, e toma-o num único gole.

— Tom...

O álcool o atinge com força e rapidez, deixando tudo enevoado, embaçando a realidade.

— Talvez seja melhor você ir embora — murmura ele, tentando reverter a situação: só deseja que ela saia dali, antes que ele diga ou faça algo que não deve. — A polícia está se agarrando a qualquer pista. Eles não têm nenhum outro suspeito e estão tentando incriminar a Karen. Mas ela tem um bom advogado. — Ele fala devagar, com tato, porque sabe que está bêbado. — Logo vão se dar conta de que não foi ela. Karen disse que não foi, e acredito nela.

— Tom — repete ela.

Ele a encara, sem jeito. Vê o contorno dos seios de Brigid sob a camiseta. Conhece bem aqueles seios. Por um instante, tem a nítida lembrança de estar na cama com ela, se recorda do jeito dela. Bem diferente do jeito de Karen. Ele se esforça para afastar o pensamento.

— Você precisa saber de uma coisa.

Ele não gosta do tom de advertência na voz de Brigid. Não quer saber de nenhuma confidência que Karen tenha feito à amiga. E não quer outra mulher, uma mulher bonita, com quem tem um histórico romântico, oferecendo-lhe conforto quando ele está tão vulnerável assim. Sabe que está ficando excitado por estar próximo dela. Deve ser o álcool. Suas defesas estão baixas.

— Quero que você vá embora, por favor — pede Tom, olhando para o chão.

Ele só deseja que Brigid vá embora.

— Você precisa ouvir isso — insiste ela.

É impossível pensar aqui, é como estar no meio de uma briga constante. Karen se enrosca em posição fetal na desconfortável cama da cela, no subsolo da delegacia, e tenta manter a calma enquanto a noite se prolonga interminavelmente. Está cercada por bêbados e prostitutas, o fedor é insuportável. Ela tenta respirar somente pela boca. Por enquanto, está sozinha na cela, mas, sempre que ouve passos e gritos, os policiais trazendo outro detento, fica apavorada com a possibilidade de abrirem a porta de sua cela e botarem outra pessoa ali.

Pensa em Tom, sozinho na cama, e tenta não chorar. Se ao menos estivesse lá com ele, os dois poderiam confortar um ao outro. Aqui não há conforto nenhum.

Capítulo Trinta e Cinco

Tom encara Brigid, desconfiado.

— Naquela noite, quando em que a Karen sofreu o acidente — começa Brigid —, eu estava em casa, sentada em frente à janela. Eram umas oito e vinte quando vi a Karen sair correndo daqui.

— Já sei disso tudo — protesta Tom.

— Ela arrancou com o carro. E pensei... pensei que talvez tivesse acontecido alguma coisa.

Tom agora a observa, imaginando que rumo a história irá tomar.

— Então entrei no meu carro e a segui.

É como se o coração de Tom parasse. Ele não esperava por isso. Vai ser pior do que ele imaginava. Quer tapar os ouvidos, recusando-se a escutar, mas se mantém firme.

— Karen estava dirigindo um pouco rápido, mas precisou parar em alguns sinais, por isso consegui acompanhá-la, à distância. Fiquei preocupada quando a vi sair de casa daquele jeito. — Brigid pega o martíni na bancada e toma um gole, depois outro, como se precisasse de coragem para o que irá dizer. — Notei que ela estava indo para uma região barra-pesada. Não conseguia entender por quê. Fiquei me perguntando no que ela havia se metido. Sabia que ela talvez não gostasse do fato de eu a estar seguindo... mas ela é minha amiga e fiquei preocupada. Só queria me certificar de que estava tudo bem. Por isso continuei, mas sempre mantendo distância, para que ela não percebesse nada. Depois de um tempo, Karen entrou num estacionamento. Passei direto, enquanto ela parava o carro. Fiz o retorno e estacionei do outro lado da rua.

Tom a observa atentamente, embora os olhos se recusem a se concentrar: está tentando saber se ela está mentindo. Nunca sabe quando alguém está mentindo, a julgar pelos últimos tempos. Teme que ela esteja dizendo a verdade. Ele se dá conta de que Brigid é uma testemunha e fica aterrorizado. Ela será responsável pela prisão de Karen.

— Fiquei com medo de saltar do carro, mas estava muito preocupada com a Karen. Vi quando ela deu a volta num restaurante abandonado. Saltei do carro e cheguei mais perto. Estava quase nos fundos do restaurante quando ouvi tiros. Três disparos. — Ela fecha os olhos por um instante, abre-os novamente. — Fiquei petrificada. Parecia que eles tinham vindo de dentro do restaurante. Aí vi a Karen sair correndo de lá. Ela estava usando luvas de borracha cor-de-rosa, o que achei estranho. Tirou antes de entrar no carro. Fiquei na penumbra, perto da parede, não sei se ela me viu porque saiu às pressas do estacionamento, dirigindo rápido demais. Pensei em segui-la, mas sabia que nunca a alcançaria naquela velocidade. Por isso... entrei no restaurante.

Ela se detém, respira fundo.

O coração de Tom bate mais rápido. Ele só consegue pensar: *Ela não viu Karen puxar o gatilho.*

— Quando abri a porta, estava escuro, mas dava para ver que havia um corpo ali, um homem morto no chão. — Ela estremece. — Uma visão horrível. Ele tinha levado tiros no rosto e no peito.

Brigid se aproxima de Tom.

— Tom, ela atirou naquele homem. Ela o *matou*.

— Não matou, não — objeta Tom.

— Sei que é difícil para você acreditar nisso, mas eu estava lá.

Desesperado, Tom retruca:

— Você não a *viu* atirar. Ouviu disparos. Viu Karen fugir. Talvez tivesse outra pessoa no restaurante. Talvez ela só estivesse no lugar errado na hora errada.

Tom sabe que está desnorteado, que o que está falando não tem cabimento.

— Tom, não vi ninguém mais sair do restaurante. E ela estava com uma arma quando entrou. Eu *vi*.

— Você não disse ter visto que ela estava com uma arma quando entrou no restaurante.

— Mas vi.

— Ela estava com a arma quando saiu?

— Não.

— Você viu a arma lá dentro, quando estava no restaurante?

— Acho que não.

— Como assim, acha que não?

— Não sei, Tom! Não estava procurando a arma. Estava escuro. Ela deve ter deixado a arma lá, em algum lugar. Eu estava apavorada demais com aquele corpo no chão, com o que ela tinha feito, para me preocupar com a arma.

Meu Deus! A mente de Tom dá voltas. Isso não é nada bom. É muito, muito ruim. Ele precisa saber o que Brigid vai fazer. Sua cabeça gira, o medo, a bebida. Com jeito, ele pergunta:

— O que você vai fazer, Brigid?

— Como assim?

— Você vai contar à polícia o que viu?

Ela o encara, se aproxima. Os olhos abrandam. Ela morde o lábio inferior. Toca o rosto dele com suavidade. Ele se mantém imóvel, confuso, esperando uma resposta.

— Não, claro que não — responde ela. — A Karen é minha *amiga*.

Então ela o beija intensamente.

Tom a abraça e se rende ao conforto que ela lhe oferece.

Karen não conseguiu dormir. Tem uma audiência agora de manhã e, neste momento, o advogado está sentado de frente para ela, numa salinha de interrogatório, tentando convencê-la a tomar um café forte. Mas a bebida é amarga, e ela afasta o copo. Além do mais, acha que não vai conseguir manter nada no estômago. Sente-se suja, imunda. A cabeça dói, os olhos ardem. Ela fica imaginando se será assim pelo resto de sua vida. *Vai passar o resto da vida na prisão?*

— Karen, você precisa se concentrar — pede o advogado.

— Onde está o Tom? — pergunta ela, mais uma vez.

Já são nove horas. A audiência é agora de manhã. Por que ele não está aqui? A ausência de Tom faz com que Karen se sinta abandonada. Acha que não vai conseguir suportar mais nada se ele não estiver ao seu lado.

— Ele já deve estar chegando — responde Calvin. — Talvez esteja preso no trânsito.

Ela pega o café, bancando a boa cliente. Neste momento, tudo depende do que o advogado pode fazer por ela.

— O que a polícia tem contra você são provas circunstanciais — diz Calvin. — Não há nenhuma prova concreta: nenhuma arma com suas impressões digitais, nenhuma evidência de que você estava no local do assassinato, nenhuma testemunha vinculando você ao crime. Pelo menos, de que saibamos por enquanto. Pode ser que encontrem alguém. As evidências do pneu não foram conclusivas. As luvas estão no laboratório, mas ainda não foram examinadas. Os técnicos têm muito material para examinar, mas vai chegar a vez delas. Provavelmente encontrarão DNA. Se provarem que as luvas são suas, aí teremos um grande problema.

— Acho que eu não o matei — murmura ela, obstinada.

Ele demora alguns instantes antes de continuar:

— Então precisamos descobrir quem o matou. Elaborar uma alternativa plausível. Porque mesmo se você o *tivesse* matado... — o advogado fala com tato, como se não quisesse aborrecê-la — ... só poderiam prendê-la se provassem o crime, se não restasse nenhuma dúvida de que você o assassinou. Nossa função é fornecer uma dúvida razoável. Precisamos criar uma teoria verossímil sobre quem poderia ter cometido o crime, além de você.

— Não sei. Ele tinha uma nova esposa? Se tinha, ela provavelmente queria matá-lo. — Karen solta um riso forçado.

— Não, não tinha. Mas você comentou que ele talvez tivesse inimigos.

— Não sei. Fazia anos que não o via. Acho que ele lidava com um pessoal suspeito, mas não sei quem eram essas pessoas. Eu me mantinha alheia a tudo. Não queria tomar parte naquilo.

— Vou investigar os contatos de trabalho dele, ver se ele contrariou alguém.

Karen consulta o relógio de parede e, mais uma vez, se pergunta onde Tom se meteu. Está começando a ficar apreensiva. Será que pode contar com ele? Talvez Tom não acredite nela, talvez ache que ela é uma assassina. Será que ele vai aparecer?

— Você viu mais alguém lá? — pergunta Calvin. — Pense. Ouviu alguma coisa dentro do restaurante? Poderia haver alguém escondido?

Ela tenta se concentrar.

— Não sei. Não me lembro de tudo. Não me lembro de ter entrado lá. Poderia ter alguém. — Ela pisca os olhos. — Com certeza tinha.

Calvin toma um gole do café.

— Você chegou a me dizer que achava que seu marido tinha entrado na sua casa, nas semanas que antecederam o telefonema.

— É, tenho certeza disso — afirma ela, estremecendo. — Quando paro para pensar, ainda fico aterrorizada. Será que algum dia vou parar de ter medo, mesmo sabendo que ele...?

— Você ainda tem as fotografias no celular? As fotos que tirava dos cômodos pela manhã, antes de sair para o trabalho?

— Acho que sim.

— Ótimo. Essas fotos mostram que você estava transtornada mentalmente, que acreditava estar sendo vigiada em sua própria casa. Que estava morrendo de medo. Precisamos guardar essas fotos, para o caso de precisarmos delas.

— Mas isso não seria ainda pior? — pergunta ela, a voz embargada. — Se eu achava que ele tinha me encontrado, que estava invadindo a minha casa, me perseguindo, isso não faz parecer mais provável que eu o teria matado?

— Faz — admite o advogado —, mas também lhe dá uma defesa. Se pudermos provar que ele esteve na sua casa... — Calvin faz uma anotação no caderno. — Precisamos coletar impressões digitais de dentro da casa. Vou providenciar isso.

Ela o encara em desalento, sem dizer nada. Sabe o que parece. Ninguém irá acreditar nela. Nem o próprio advogado acredita. E ela não sabe no que Tom acredita.

Ouve um barulho no corredor e levanta a cabeça de pronto. A porta se abre, e um guarda surge trazendo Tom à sala de interrogatório.

Karen sente um alívio enorme. Quer perguntar por que demorou tanto, mas basta olhar para ele para se conter. Ele está péssimo. E foi *ela* que passou a noite numa cela. Karen sente uma pontada de irritação. Ele precisa manter a cabeça no lugar. Ela não pode enfrentar isso sozinha. Não diz nada, mas observa-o com atenção.

— Desculpe, perdi a hora — justifica-se Tom, enrubescendo. — Custei a pregar o olho, e, quando finalmente dormi...

A voz vacila.

— Ela será levada ao tribunal para a audiência daqui a pouco — avisa Calvin.

Tom assente, como se fosse totalmente normal ver sua mulher sendo levada ao tribunal por causa de uma acusação de assassinato.

Karen quer sacudi-lo. Ele parece tão... alheio.

— Podemos ficar a sós um instante? — pergunta ela, olhando para Calvin.

O advogado consulta o relógio e responde:

— Claro, ainda temos uns minutos.

Ele se levanta arrastando a cadeira e sai da sala, deixando-os sozinhos.

Os dois se entreolham. Karen quebra o silêncio primeiro.

— Você está péssimo.

— Você também não está lá muito bem.

Isso desfaz a tensão, e ambos sorriem.

— Tom — murmura Karen —, acho que o Calvin não acredita em mim. — Ela está testando-o. Sabe que não importa o que o advogado ache: sua função é defendê-la de qualquer maneira. Mas quer ouvir Tom dizer que acredita nela. Precisa ouvir isso. — Acho que eu não teria coragem de matá-lo, Tom, e, se você não acredita em mim...

Ele se aproxima e a abraça forte, o rosto dela em seu peito.

— Shh... Claro que acredito em você.

É reconfortante ser abraçada por ele, ouvi-lo dizer isso. Ainda assim, Karen começa a tremer descontroladamente. De repente, ela se dá conta da gravidade do que está enfrentando.

Capítulo Trinta e Seis

NA CASA EM FRENTE ao número 24 da Dogwood Drive, não há ninguém na janela. Não há ninguém olhando para fora hoje.

Brigid tem coisas a fazer. A noite passada... A noite passada foi o começo de toda uma nova existência para ela. É como se ela pudesse explodir de alegria.

E, se outra pessoa precisa sofrer para que ela seja feliz, se outra pessoa precisa passar o resto de seus dias na cadeia, é a vida. Para uma pessoa ganhar, alguém precisa perder.

Brigid pensa no dia em que tudo começou, o dia que mudou tudo. Era uma tarde comum na tranquila Dogwood Drive. Ela estava fazendo o serviço doméstico, de vez em quando olhando pela janela, quando notou um desconhecido espiando a casa de Tom e Karen. Desligou o aspirador de pó e ficou observando o homem. Ele subiu a varanda e olhou pela janelinha no alto da porta. Mas Brigid percebeu que o sujeito não tocou a campainha: parecia saber que não havia ninguém em casa. Não havia carros estacionados na propriedade. Então ele contornou o jardim, despertando a curiosidade e a indignação de Brigid. Ela queria saber quem era aquele homem e o que ele estava fazendo ali.

Pegou as luvas de jardinagem e foi para a frente de casa, onde se pôs a tirar as ervas daninhas do gramado enquanto ficava de olho no sujeito. Quando ele reapareceu, ela se levantou para observá-lo. Ele acenou com simpatia e se aproximou para conversar.

— Olá — cumprimentou-a, casualmente.

— Oi — respondeu Brigid, com rispidez, sem querer se deixar conquistar por um sorriso simpático e por um rosto bonito.

Não sabia quem era aquele homem. Talvez fosse um investigador do seguro, ou algo parecido, e tivesse um motivo perfeitamente razoável para avaliar a propriedade de Tom e Karen. Mas ele não parecia ser esse tipo de pessoa.

— Você mora aqui? — perguntou ele, indicando a casa dela.

— Moro — respondeu Brigid.

— Você deve conhecer o casal que mora do outro lado da rua — comentou ele, inclinando a cabeça para a casa de Tom e Karen. — Sou um velho amigo — acrescentou — da esposa.

— Ah! — exclamou Brigid, sem saber se deveria acreditar nele ou não. — De onde?

Ele a encarou, agora sem nenhuma simpatia, com uma espécie de brilho cruel nos olhos.

— De outra vida.

Fez um gesto indiferente e se afastou às pressas.

A atitude do homem a deixou perturbada. Quando ele foi embora, ela voltou para casa, pensando naquela conversa estranha. Ficou pensando em Karen, que nunca falava de sua vida antes de conhecer Tom, a não ser para dizer que era de Wisconsin e não tinha família. E outra coisa: não havia nada sobre Karen na internet. Ela não estava nem no Facebook. E todo mundo tem Facebook.

Brigid se lembrava do nome de solteira de Karen, de quando ela e Tom estavam namorando. Karen mudara o sobrenome para Krupp depois do casamento. Brigid ligou o computador e procurou Karen Fairfield no Google, mas não havia nenhum resultado, o que não era tão surpreendente. Mas, quanto mais pensava naquele homem, no comentário dele sobre conhecê-la de uma "outra vida", mais desconfiada de Karen Brigid ficava. Foi assim que se deixou arrastar pelo escoadouro da Internet e se pôs a pesquisar como as pessoas desaparecem para recomeçar a vida com outra identidade. Não demorou muito para suspeitar de que Karen talvez não fosse quem dizia ser. Foi quando telefonou para o trabalho de Tom pedindo para encontrá-lo naquela mesma noite. Queria contar a ele sobre aquele homem estranho e suas desconfianças em relação a Karen.

Mas, à noite, quando estava prestes a sair para se encontrar com ele no antigo canto dos dois, à margem do rio, viu Karen sair correndo de casa com uma pressa desesperadora. E, por causa da visita daquele homem estranho à tarde, decidiu segui-la. Tom podia esperar.

Brigid viu o que viu. E, agora, tudo mudou.

Ela pensa no que aconteceu na noite passada, e um calor lânguido brota em seu corpo. Como havia sentido falta de Tom! Só se deu conta de quanto quando o beijou.

Aquele beijo — sensual, intenso — foi carregado de toda sorte de sensações e lembranças deliciosas. A boca de Tom tinha o gosto de que ela se lembrava. Uma onda de prazer atravessou seu corpo. O beijo a deixou ofegante. Eles tinham um passado, e tudo foi revivido naquele beijo. Quando acabou, e Tom se afastou, olhando para ela, Brigid notou que ele estava tão assombrado quanto ela.

Então ela o conduziu ao quarto, onde os dois fizeram amor na cama de casal. A mesma cama em que faziam amor antes de Karen aparecer. Aquela piranha intrometida.

Brigid pensa nas coisas indecentes que ela e Tom fizeram na noite passada e sente novamente aquela excitação. Logo depois daquilo, uma enorme sensação de poder e perversidade a invadiu. Ela se apoiou no cotovelo, ambos os seios à mostra, e ficou admirando Tom deitado, nu e vulnerável, ao seu lado. Passou lentamente os dedos na perna dele e disse:

— Você não quer que eu conte à polícia o que vi, não é?

Ele olhou para ela, assustado.

— Não.

Não há dúvida, pensa ela agora, de que os dois têm uma conexão especial. Tom já a amou, ela tem certeza disso, e vai voltar a amá-la.

Ficará novamente à sua mercê, como antes. Tom agora sabe o que Karen fez, que ela é uma assassina, porque Brigid estava lá e lhe contou tudo.

Brigid prometeu a Tom não dizer nada à polícia.

Mas Brigid tem um plano.

Não há volta.

Vai ser tudo perfeito.

Tom ficou abalado com a audiência. O tribunal era um circo, barulhento demais para ouvir o que quer que fosse; eram coisas demais acontecendo rápido demais. Ele havia imaginado que seria muito mais solene, fácil de acompanhar. Karen foi para a frente da sala com Jack Calvin quando chamaram seu nome. Tom ficou sentado na plateia, bem atrás, o único lugar que encontrou. Só via Karen de costas. O tamanho da sala e aquele tumulto todo faziam com que ela parecesse pequena, derrotada. Ele precisou se concentrar para escutar.

Tudo terminou em poucos minutos, e ela foi logo conduzida para fora. Tom se levantou. Karen olhou para trás, assustada, antes de sair. Ele voltou a se sentar, aturdido, sem saber o que fazer. Calvin o viu e se aproximou dele.

— Pode ir para casa — sugeriu. — Vão levá-la para o presídio. Você poderá vê-la lá, mais tarde.

Então Tom foi para casa. Não sabia o que mais fazer. Depois telefonou para o trabalho dizendo que estava doente e que precisaria se ausentar por um tempo. Sabe que ninguém vai acreditar que ele está doente quando a notícia sair nos jornais.

Agora entra no quarto e olha, horrorizado, para o lençol amarrotado. Jamais deveria ter dormido com Brigid de novo. Como pôde deixar isso acontecer?

Ele sabe como: estava se sentindo sozinho, estava bêbado, e ela se mostrou solidária. Brigid também conseguia ser irresistivelmente sexy, e os dois tinham uma história. Mas, depois, pela manhã, ela deixou bastante claro que dormir juntos havia sido o preço de seu silêncio.

Agora ele está aflito, apavorado. E se ela estiver mentindo? E se não seguiu Karen naquela noite? De qualquer forma, está manipulando-o para dormir com ele. E se ela visitar Karen no presídio e contar o que ele fez? Será que Karen acreditaria se Tom dissesse que dormiu com Brigid para protegê-la?

Num acesso de fúria, ele arranca o lençol da cama e o joga no chão. Vai lavar a roupa de cama para eliminar qualquer vestígio de Brigid.

Mas se livrar daquela mulher talvez não seja tão simples assim.

Jack Calvin vai a Las Vegas, Nevada, visitar o centro de aconselhamento para mulheres vítimas de violência que Karen frequentava quando estava casada com Robert Traynor. Já conferiu: o centro ainda existe. E há pessoas lá que se lembram dela. Estão à espera dele.

Calvin também contratou um detetive particular em Las Vegas para investigar os contatos profissionais de Robert Traynor. Talvez encontre alguma coisa aí, embora ele não esteja muito confiante disso.

Toma um táxi no aeroporto. E logo encontra o Centro de Aconselhamento e Abrigo para Mulheres Braços Abertos. O prédio é meio decrépito, mas se esforça para ser um lugar alegre e acolhedor. Há desenhos infantis por toda parte.

Ele se dirige ao balcão de informações. Em alguns instantes, a diretora do centro surge para recebê-lo e o conduz à sua sala.

— Meu nome é Theresa Wolcak — apresenta-se, indicando uma cadeira.

— Jack Calvin — diz ele. — Como expliquei pelo telefone, represento uma mulher que agora mora no estado de Nova York e frequentou esse centro três ou quatro anos atrás. Georgina Traynor.

Ela assente.

— Posso ver sua identificação?

— Ah, claro.

Ele pega o documento. Também pega na pasta uma carta escrita por Georgina Traynor dando autorização para que todas as informações solicitadas sejam transmitidas a seu advogado, Jack Calvin.

Theresa ajusta os óculos e lê a carta.

— Muito bem. Como posso ajudá-lo?

— Minha cliente, Georgina Traynor, foi indiciada pelo assassinato do marido, Robert Traynor.

Theresa assente, em desalento.

— E agora o Estado quer que ela pague por isso.

— Ela é acusada de matar um homem. O Estado quer que a justiça seja feita. Se o que ela diz for verdade, acho que o júri não terá dificuldade de enxergar a situação pelo lado dela, entender que ela temia pela própria vida.

— A orientadora que atendia a sua cliente com mais frequência é a Stacy Howell. Vou chamá-la.

Logo Calvin e a orientadora estão num escritório apertado. Stacy é uma mulher negra muito prática, de voz tranquila, que traz consigo a pasta de arquivos de Georgina Traynor, abrindo-a imediatamente ao ler a carta da mulher que conhecia por esse nome.

— Eu me lembro dela, claro. O senhor pode até pensar que eu não me lembraria, já que atendo tantas mulheres, todas com a mesma história triste, mas me lembro dela, sim. Georgina não é um nome muito comum. E eu gostava muito dela. Eu a atendi durante pelo menos um ano.

— Como ela era?

— Como todas as outras mulheres que vêm aqui. Assustada. Ninguém entende o que essas mulheres passam. O marido era um verdadeiro canalha. Ela se sentia presa. Achava que, se contasse o que ele fazia com ela a qualquer outra pessoa que não fôssemos nós, ninguém acreditaria nela.

— E o que você dizia a ela? Aconselhava-a a abandoná-lo?

— Não é tão simples assim. Tem mulheres que vêm morar aqui para se proteger. É difícil conseguir ajuda. Ordem de restrição para manter o agressor afastado não adianta. — Ela solta um suspiro. — Eu dizia que ela tinha um trunfo nas mãos. O marido administrava um negócio próspero. Eu falava que, se ela quisesse, poderia abandoná-lo, conseguir uma ordem judicial e ameaçar torná-la pública. Ameaçar envergonhá-los publicamente às vezes funciona. Mas ela tinha medo.

Calvin assente.

— Um dia, Georgina não apareceu na hora marcada. Ficamos sabendo que ela havia se jogado da ponte da represa Hoover. O corpo não foi encontrado. Li no jornal. — Ela balança a cabeça, ao se recordar da notícia. — Imaginei que ele a tivesse matado, que tivesse feito tudo parecer suicídio.

— Você foi à polícia?

— Claro. Eles o investigaram, mas Robert tinha um álibi. Estava trabalhando, passou o dia inteiro com várias pessoas. A investigação foi encerrada.

— Ele não a matou — salienta Calvin, indicando a carta.

— Não, ela conseguiu fugir. Bom para ela.

— Mas agora está sendo indiciada por assassinato.

— Ela o matou? — surpreende-se Stacy. — Ele mereceu, aquele filho da puta. — Ela encara o advogado, apreensiva. — O que vai acontecer com ela?

Capítulo Trinta e Sete

O DETETIVE RASBACH tem certeza de que, de agora em diante, o caso Karen Krupp será bastante fácil. É como um quebra-cabeça, complicado no começo, mas, quando entendemos o plano geral, todas as peças começam a se encaixar. Parece-lhe bastante claro que Karen Krupp é a assassina. Porém, ele sente pena dela. Em outras circunstâncias, seria pouco provável que isso acabaria em assassinato. Se ela nunca tivesse conhecido Robert Traynor, por exemplo.

Eles agora sabem como Traynor a encontrou. Examinaram o computador dele, que lhes foi enviado pela polícia de Las Vegas. Traynor havia feito uma pesquisa sistemática à procura de escritórios de contabilidade no país inteiro. Havia marcado uma página do site da Simpson & Merritt, o escritório onde Tom Krupp trabalhava. E lá estava ela, ao fundo em uma fotografia, numa festa de fim de ano, ao lado de Krupp, que tinha um perfil no mesmo site.

É muito difícil desaparecer de verdade, considera o detetive.

Rasbach fica imaginando por que Traynor se esforçou tanto para encontrá-la. Evidentemente, não se deixou convencer pelo suicídio. Talvez porque nunca tivessem encontrado o corpo.

Ele acredita que tem indícios suficientes para apresentar à promotoria. Embora as provas físicas ainda não sejam conclusivas, as circunstâncias são irrefutáveis. Apesar de terem visitado o comércio e as casas da região onde o crime aconteceu, eles não conseguiram encontrar nenhuma testemunha.

Rasbach se lembra do infrutífero interrogatório de Karen Krupp. Ela está obviamente assustada. Ele também sente pena de Tom Krupp. Mas não sente nenhuma pena de Robert Traynor.

O detetive Jennings bate à porta da sala de Rasbach e entra. Traz um saco de sanduíches embrulhados. Oferece um para Rasbach e se senta.

— Telefonaram dizendo ter uma informação sobre o caso Karen Krupp — avisa.

— Informação — bufa Rasbach.

Ele volta os olhos para o jornal aberto sobre a mesa.

> A escriturária Karen Krupp foi presa pelo assassinato de um homem sem identificação, encontrado morto num restaurante abandonado da Hoffman Street. A vítima só foi identificada agora. Trata-se de Robert Traynor, de Las Vegas, Nevada. Ainda não há mais detalhes.

Karen e Tom Krupp não estão falando com a imprensa, e a polícia deu apenas uma declaração simples depois da detenção, com os nomes das pessoas envolvidas. Sem mais detalhes. Mas não é todo dia que uma mulher bonita e respeitável, moradora de um bairro nobre, é indiciada por assassinato. A imprensa vai se esbaldar. Ninguém sabe ainda que Karen Krupp é uma identidade falsa, que simulou a própria morte e que foi casada com a vítima. Os jornalistas vão adorar descobrir isso.

— Pois é — murmura Jennings, também voltando os olhos para o jornal. — Tem muita gente maluca por aí. Com certeza vamos receber uma enxurrada de telefonemas.

— O que ele disse?

— Era uma mulher.

— Ela disse o nome?

— Não.

— Nunca deixam — resmunga Rasbach.

Jennings termina de mastigar um pedaço grande do sanduíche.

— Ela disse que deveríamos procurar a arma do crime na casa dos Krupps.

Rasbach ergue as sobrancelhas, agita o sanduíche no ar.

— Karen Krupp atira no sujeito, entra em pânico e foge. A arma não estava no local do crime nem no carro. Então, onde está? Seria bom se tivéssemos a arma, se pudéssemos provar que foi aquela arma que matou Robert, se pudéssemos provar que ela era de Karen Krupp. Mas, se ainda estava com a arma quando fugiu, ou Karen a escondeu em algum lugar perto do restaurante... o que é pouco provável, já que estava completamente desorientada e, portanto, teríamos encontrado... ou a jogou pela janela do carro. Depois, quando saiu do hospital, ela voltou para pegar a arma e guardá-la em algum lugar em casa. Sei lá, na gaveta de roupa íntima. — Ele desembrulha o sanduíche. — Uma idiotice completa. E ela não é idiota.

— Pois é, pouco provável.

— Acho que não receberemos nenhuma informação útil de ninguém para solucionar esse caso — considera Rasbach, mordendo o sanduíche de salada de atum com pão integral.

À tarde, Tom vai visitar Karen no presídio municipal.

Fica parado perto do carro no estacionamento por um instante, avaliando o imenso prédio de tijolos. Não quer entrar. Mas pensa em Karen e cria coragem. Se ela consegue sobreviver ali, ele pode pelo menos se mostrar forte ao visitá-la.

Atravessa o portão do presídio, passando pelos guardas na entrada. Precisa se acostumar a essas barreiras — guardas, procedimentos, revista — para conversar com a esposa. Fica imaginando como ela está. Será que está aguentando bem ou estará completamente desnorteada? Quando perguntar, será que ela vai falar a verdade ou vai tentar protegê-lo dizendo que está se virando?

Por fim, chega a uma sala grande, com várias mesas. Avista-a acomodada a uma dessas mesas e se senta de frente para ela, sob os olhos atentos dos guardas. Há muita gente ao redor, mas, se mantiverem a voz baixa, terão privacidade para conversar.

— Karen — murmura, a voz embargada.

Imediatamente seus olhos se enchem de lágrimas. Ele as afasta, tenta sorrir.

Lágrimas escorrem pelo rosto dela também.

— Tom! — Ela engole em seco. — Que bom que você veio! Achei que talvez não viesse.

— Claro que vim! Sempre virei, sempre que puder, Karen, prometo — garante Tom, em desespero. — Até tirarmos você daqui.

Está tomado por vergonha e culpa pelo que fez com Brigid, enquanto Karen estava presa.

— Estou com medo, Tom. — Ela está com a aparência de quem não dormiu nada. O cabelo está sujo. Parece notar a maneira como ele a observa e diz: — Aqui não posso tomar banho sempre que quero.

— Tem alguma coisa que eu possa fazer? — pergunta ele, sentindo-se impotente. — Posso trazer alguma coisa para você?

— Acho que não é permitido.

Isso quase o faz desmoronar. Tom precisa sufocar um soluço. Sempre adorou presenteá-la com chocolates, flores. Não suporta pensar no futuro espartano dela aqui. Karen sempre gostou de conforto. Ela não combina com o presídio. Se é que alguém combina.

— Vou tentar descobrir, está bem?

Ela inclina a cabeça na direção dele.

— Ei, ânimo! Vou sair daqui. Foi o que o advogado disse.

Tom duvida de que Calvin teria afirmado isso, mas finge acreditar que ela sairá dali em breve. Eles precisam apenas ter paciência. Mas há uma coisa que ele precisa lhe contar.

— Karen — começa, a voz muito baixa —, conversei com a Brigid ontem à noite.

— Com a Brigid? — surpreende-se Karen.

Ele espera que ela não note o rubor que ele sente esquentar seu rosto. A culpa. Baixa os olhos por um instante, evitando o olhar dela, então a encara.

— É. Ela apareceu lá em casa para falar com você. Não sabia o que tinha acontecido.

— Entendi...

— Mas ela me contou uma coisa.

— O quê? — pergunta Karen, a voz também baixa, mas agora hesitante.

— Ela disse que, na noite que você sofreu o acidente, viu você saindo de casa. — Ele olha dentro dos lindos olhos da esposa. Mantém a voz num murmúrio. — Disse que seguiu você naquela noite.

Karen fica alarmada na mesma hora.

— O quê?

— Disse que seguiu você no carro dela, mantendo distância, para que você não a notasse.

Karen permanece imóvel, e Tom fica aturdido ao observar as emoções complexas que o rosto dela demonstra. *É verdade,* pensa, *o que Brigid disse.*

— O que mais ela falou?

— Disse que seguiu você até que você parou o carro e que ela estacionou do outro lado da rua. Viu você contornando o restaurante. Ouviu os tiros. Três tiros. Depois viu você saindo correndo do prédio. Disse que você tirou as luvas, entrou no carro e saiu às pressas dali.

Karen permanece em silêncio. Está claramente chocada com essa notícia.

— Karen — sussurra Tom.

Ela continua sem dizer nada.

— *Karen*! — insiste ele. Abaixa a voz, instintivamente correndo os olhos à volta para se certificar de que ninguém está ouvindo. Mas não dá para ouvir o que eles estão falando no burburinho da sala. — Ela estava *lá,* Karen!

— Talvez esteja mentindo.

— Acho que não — objeta Tom. — Como ela saberia das luvas? — Karen permanece calada, os olhos arregalados. Ele nota uma veia pulsando no pescoço dela. Ninguém sabe das luvas além da polícia. Tom balança a cabeça. — Acho que ela estava lá. E acho que viu você. Disse que você estava de luvas, armada, quando entrou no restaurante, mas não estava com a arma quando saiu.

— E o que ela fez? — pergunta Karen, segurando a beirada da mesa.

— Como assim?

— O que ela fez depois que me viu entrar no carro e sair dali?

— Entrou no restaurante e viu o corpo — responde Tom. Ele a observa empalidecer, sente o gosto amargo de vômito na garganta. — Entrou em pânico e saiu correndo, foi para casa. — Ele se aproxima dela o máximo que consegue, sob o olhar atento do guarda, desconcertado pela fisionomia dela. — Karen, me diga a verdade. Você não se lembra *mesmo* do que aconteceu?

Ele pergunta isso com delicadeza, tentando convencê-la a falar. Pode perdoar a esposa, se ela disser a verdade. Pela fisionomia de Karen, vê que ela está apavorada. Com certeza, o júri também verá isso.

— *Ela é uma testemunha* — murmura Karen, como se mal conseguisse acreditar no que diz.

— Você o matou? — insiste Tom, a voz tão baixa que mal é ouvida. Ele corre os olhos à volta mais uma vez. Ninguém está prestando atenção neles. — Conte para mim — pede. — Só para mim.

Ela o encara antes de afirmar:

— Não me lembro. Mas acho que não conseguiria atirar em ninguém.

Ah, se ao menos ele conseguisse acreditar nela! Em desespero, Tom se recosta na cadeira. Talvez o júri entenda por que ela fez o que fez. Ainda assim, ela passaria muitos anos presa. Não é justo, não quando é tudo culpa de Robert Traynor. Se ele não a tivesse procurado, se a tivesse deixado em paz, eles não estariam aqui agora, num presídio municipal, apavorados, infelizes.

Mesmo que ela não consiga admitir a verdade para ele — talvez não consiga admiti-la nem para si mesma, talvez a tenha reprimido completamente —, Tom acha que ainda ama essa outra Karen injustiçada. Não pode deixá-la passar o resto da vida na cadeia. Viver sem ela, dia e noite imaginando-a presa numa cela, é impensável.

— Ela é uma testemunha — repete Karen, recompondo-se, inclinando-se para a frente. — Mesmo que cheguem à conclusão de que as luvas são minhas, isso não é prova de que eu o matei. Só é uma prova de que eu estava lá. Eu *estava* lá, mas... — Ela o encara, em desalento. — Se fosse capaz de matá-lo, eu o teria matado quando estava casada com ele, você não acha? Se ela disse que ouviu tiros e depois me viu sair correndo do restaurante, Brigid deve estar mentindo! — Karen o fita com medo no olhar. — Por que ela mentiria?

Tom balança a cabeça, sem dizer nada. Acha que a vizinha não mentiu; acha que a esposa está mentindo. Ou que, na melhor das hipóteses, não sabe mesmo o que aconteceu.

— Ela não vai dizer nada — considera, afinal.

— Como você pode ter tanta certeza disso? — murmura Karen, com a voz apreensiva.

— Ela é sua amiga — responde ele, sem jeito.

— Que tipo de amiga inventa uma mentira dessas? Talvez ela tenha de fato me seguido, talvez tenha estado lá... Mas talvez as coisas não tenham acontecido como ela afirma.

Tom a observa, desgostoso. Inclinando-se para a frente, diz:

— Não podemos deixar a polícia descobrir que ela estava lá. Eles não têm nenhum motivo para achar que ela sabe de alguma coisa. Não têm nenhum motivo para convocá-la como testemunha. Ela não vai dizer nada.

— Espero que você tenha razão — fala Karen, aflita. — Mas já não confio mais nela.

Tom também não confia em Brigid, mas acredita que ela está dizendo a verdade.

Capítulo Trinta e Oito

KAREN COMEÇA A TREMER assim que Tom vai embora. Ao observá-lo se afastar, é como se o último elo dela com o mundo lá fora estivesse desaparecendo. Aqui ela teme que sua essência se dissipe. Ao observá-lo se afastar, quase grita "Não me deixe aqui!" Mas então um guarda vem buscá-la, e ela mantém a calma, porque, se não mantiver a calma, se mostrar fraqueza, jamais sobreviverá no presídio.

Talvez tudo dê certo, dissera Calvin. No entanto, está ficando cada vez mais difícil acreditar nisso. Ela está abismada com o fato de Brigid tê-la seguido naquela noite. De repente, lembra-se de algo que viu de relance naquele centro comercial, algo familiar que não chegou exatamente a registrar na hora: *o carro de Brigid*. Agora ela se lembra. Por que não consegue se lembrar do resto? Isso a está enlouquecendo.

Por que Brigid a seguiu? Que motivo teria para isso? Só pode ter sido porque a viu saindo de casa em disparada, sentiu que havia alguma coisa errada e não resistiu à curiosidade.

Que azar o seu Brigid morar do outro lado da rua!

Tom está voltando para o carro quando recebe um telefonema do escritório. Fica aflito. Não quer lidar com o trabalho. Terá de dizer que precisa ficar afastado por um tempo. Não vai ao escritório desde que Karen foi presa, no dia anterior. Saiu correndo de lá quando Jack Calvin lhe telefonou. E agora a notícia está em todos os jornais.

Relutante, ele atende à ligação.

— Tom — diz James Merritt.

Merritt é sócio majoritário da Simpson & Merritt. Tom nunca gostou muito dele.

— Sim? — diz Tom, impaciente.

— Precisamos que você venha ao escritório — decreta o outro, a voz grave, ao mesmo tempo suave e imponente.

— Agora? Eu... preciso resolver algumas coisas...

— Daqui a meia hora, na sala de reunião.

A ligação é encerrada.

— Merda!

Eles devem saber que Karen foi presa por assassinato. Isso não vai pegar bem com os clientes.

Ele volta imediatamente para casa, para vestir um terno, e segue para o escritório. Estaciona em seu lugar de sempre e permanece no carro por alguns instantes, se preparando. Com um pressentimento ruim, sai do veículo. Toma o elevador até a sala de reunião, no 12º andar, uma sala à qual raramente vai.

Quando entra na sala, os sócios já estão todos sentados em torno da enorme mesa. O burburinho para de súbito, e Tom se dá conta de que, claro, estavam falando dele. De sua esposa.

— Sente-se, Tom — pede Merritt, indicando a cadeira vazia.

Tom faz o que ele pede, avaliando os membros da diretoria ali reunidos. Alguns olham nos olhos dele, com curiosidade; outros, não.

— O que houve? — pergunta Tom, de forma audaciosa.

— É o que gostaríamos que *você* nos dissesse — responde Merritt.

Tom está apreensivo. Nunca sentiu que fazia parte do clube. Não nasceu em berço de ouro, não joga golfe nos clubes da moda. Alcançou sua posição simplesmente porque é um contador muito bom. E trabalha como um condenado, sem reclamar. Mas decerto jamais fariam dele sócio. Muito menos depois disso.

— Se estamos falando da minha mulher, acho que não é da conta de vocês.

— Pelo contrário, achamos que é, *sim*, da nossa conta — objeta Merritt. Ele olha para Tom com frieza. — Sentimos muito pelas dificuldades que você vem enfrentando — continua, sem parecer de fato sentir muito —, mas naturalmente estamos preocupados com a repercussão disso.

Merritt volta os olhos para os outros sócios, a maioria dos quais assente em silêncio.

Tom os encara, um a um, furioso.

— Não há dúvida de que você é um excelente contador — ressalta Merritt. — Mas espero que entenda a nossa situação. Precisamos pensar nos clientes. Lamento, mas teremos de suspendê-lo, sem pagamento, até que sua mulher seja inocentada. — Ele dá um tempo para a notícia ser assimilada. — É claro — acrescenta —, durante esse período você fica livre para buscar oportunidades em outra empresa. Ficaríamos felizes em lhe dar boas referências.

Tom pisca os olhos alucinadamente. Estão demitindo-o. Ele se levanta e, sem dizer uma palavra, sai da sala de reunião batendo a porta com força.

Arranca com o carro. Precisa de dinheiro para os honorários do advogado, que serão altíssimos. E agora não tem como pagá-los.

Brigid vê Tom chegar à casa da frente. Observa-o saltar do carro e bater a porta, como se estivesse com raiva. Ele sobe a escada da varanda e desaparece dentro de casa.

O coração dela acelera. Fica se perguntando o que terá acontecido agora.

Quanto mais cedo ele se livrar de Karen, quanto mais cedo tiver Brigid em sua vida, mais feliz será. Ela acredita nisso de todo coração.

É perfeito que Karen esteja longe, na cadeia. Quando Tom vai visitá-la, imagina Brigid, ela decerto está diferente, com o cabelo sujo e usando os uniformes feios de presidiária. Karen sempre foi muito bonita, com seus traços perfeitos, o cabelo curto sofisticado ressaltando a estrutura óssea privilegiada. Ela gostaria de visitá-la na penitenciária para ver com seus próprios olhos a nova e horrorosa Karen. Como isso seria maravilhoso! Karen sempre pareceu achar que tinha direito a tudo. Mas agora é Brigid quem terá direito a tudo, inclusive a Tom. Terá todas as coisas de Karen, inclusive o marido dela. Logo Karen compreenderá isso e não poderá fazer nada a respeito.

Brigid vai esperar até mais tarde, até Bob voltar para casa para o jantar e depois sair de novo. Sério, ele só aparece em casa para comer e dormir. E agora ela dá graças por isso, pois os hábitos do marido permitem que ela faça o que quiser.

À tarde, foi ao salão e cortou o cabelo curto, no mesmo estilo de Karen. Fez as unhas dos pés e das mãos. Sabe que Karen faz as unhas sempre. Ou pelo menos fazia, pois já não fará mais. Brigid sorri ao pensar que, em vez disso, talvez Karen agora faça tatuagens na cadeia. Sabe até qual salão ela frequentava, quem cortava seu cabelo, porque Karen lhe contou. Agora Brigid se olha no espelho do banheiro, satisfeita com o que vê. Já não há o enfadonho cabelo castanho batendo na altura dos ombros. O novo corte, charmoso, a deixou completamente diferente. Ela adorou. Sentada na cadeira do salão, vendo os tufos de cabelo cair no chão, sentiu sua antiga vida se esvaindo. Foi como se uma linda borboleta despertasse de um sono prolongado.

Se é para tomar o lugar de Karen, fará isso direito. Ela vai ser tudo que Tom quer que ela seja, e ainda mais. Estende as mãos para admirar as unhas perfeitamente feitas.

Logo irá visitar Tom novamente. Estremece de empolgação. Ele não se atreverá a rejeitá-la.

Capítulo Trinta e Nove

No fim do dia, Jennings aparece novamente na sala de Rasbach.

— O que houve? — pergunta Rasbach.

— Recebemos outro telefonema sobre o caso Karen Krupp. Da mesma mulher.

— Já? O que ela disse dessa vez?

— Perguntou por que ainda não fizemos a busca na propriedade do casal, para procurar a arma do crime.

Rasbach se recosta na cadeira, enquanto Jennings se senta no lugar de sempre, de frente para ele.

— Então ela sabe que não fizemos a busca. Deve estar vigiando a casa. Uma vizinha, talvez.

— Pois é. Eu não teria incomodado você com isso, mas ela disse outra coisa que me deixou com uma baita pulga atrás da orelha.

— O que foi?

— Perguntou se encontramos as luvas.

Rasbach se inclina para a frente.

— Ninguém sabe das luvas.

Apenas a polícia e os Krupps. Não saiu nada na imprensa sobre as luvas.

— Essa mulher sabe.

— Talvez tenhamos uma testemunha — deduz Rasbach. — Ou pelo menos alguém que sabe de alguma coisa. — Ele sente uma pequena descarga de adrenalina. — Karen Krupp não guardaria a arma do crime em casa — considera Rasbach. — Já conversamos sobre isso. A arma não estava no carro quando ela sofreu o acidente, e, se ela a tivesse escondido ou a jogado pela janela do carro, teríamos encontrado.

— Talvez ela não fosse a única pessoa no local — sugere Jennings. — Talvez alguém estivesse presente e tenha pegado a arma.

Assentindo, Rasbach o encara.

— É. Vamos pedir um mandado de busca.

Uma das piores coisas, na opinião de Tom, é não poder mais conversar com Karen sempre que deseja. Nunca se deu conta de quanto dependia de ouvir a voz dela durante o dia, dos e-mails e das mensagens de texto que os dois trocavam. Ela estava sempre ali. E agora não está mais. Eles só poderão conversar quando ela tiver autorização para usar o telefone do presídio, e ele não sabe quando nem com que frequência isso irá acontecer. E os dois não poderão conversar por muito tempo. Ele só poderá encontrá-la durante as horas de visita.

Ela foi *encarcerada*. Como essa descrição é precisa!

E agora aqui está ele, sozinho em casa. Sente que vai enlouquecer. Mas deve ser muito mais difícil para ela. Ficar enjaulada como um animal, com várias pessoas tão diferentes dela. Pessoas que fizeram coisas terríveis. Karen não fez nada de errado, não é? Apenas se defendeu. No entanto, mesmo que ela tenha sorte e a justiça pegue leve com ela, provavelmente serão anos de sofrimento no presídio, ainda que ela tenha tido motivo para fazer o que fez.

E, quando finalmente for libertada, ambos estarão mudados.

Apreensivo, Tom pensa em Brigid. Teme que ela volte. E não pode se dar ao luxo de aborrecê-la.

Torce para que tenha sido só uma noite, pelos velhos tempos, que ela se contente com isso e volte para o marido. Mas, como se seus pensamentos a evocassem, ele ouve uma batida à porta. Leva um susto.

Compreende tarde demais que deveria ter passado a noite num hotel ou na casa do irmão. Não deveria ter voltado para sua casa, onde Brigid pode encontrá-lo. Deveria passar um tempo na casa do irmão. Isso deve refrear os impulsos dela. Mas não sabe se tem coragem de fazer isso, se isso não a deixaria com raiva, levando-a a fazer algo para prejudicá-lo, para prejudicar Karen.

Ela deve ter visto o carro na entrada. Relutante, Tom abre a porta. Fica surpreso — aturdido — com a aparência dela.

— Você cortou o cabelo — murmura, antes que consiga se conter.

— Gostou? — pergunta ela, tímida.

Ele está pasmo. Ela cortou o cabelo para ficar igual a Karen. *Qual é o problema dela?* E o tom de voz é desconcertante, inapropriado, dadas as circunstâncias. Ele a teria detestado menos se ela chegasse dizendo "Durma comigo ou eu conto à polícia o que sei sobre sua mulher". Mas esse fingimento de que os dois são amantes de novo está deixando-o enjoado. Ele sente vontade de bater a porta na cara dela. Ninguém pode substituir Karen. Ninguém. Muito menos Brigid.

— O que foi? — pergunta ela, com frieza.

— Nada — responde ele, se recompondo rápido.

Não sabe como lidar com Brigid. O humor dela muda muito rápido. Ele se lembra disso: toda aquela inconstância. Não quer dormir de novo com ela. Não quer sequer tocar nela. Não quer ter nada com ela. Só quer que ela vá embora.

— Então — diz Brigid, entrando na sala, virando-se para fitá-lo enquanto ele fecha a porta —, por que você não me serve uma bebida?

Então ela quer repetir a dose. Ele não tem estômago para isso. Duvida até de que irá conseguir. Talvez seja uma boa saída. Talvez não consiga ter uma ereção, ela zombe dele e o deixe em paz. Por Tom, tudo bem. Mas e se isso a deixar irritada e ela resolver contar à polícia o que viu?

Tom sente o suor escorrer por sua nuca. O coração bate acelerado. Sabe que se meteu numa furada. Não pode contar nada disso a Karen.

— Brigid — começa Tom, deixando todo o cansaço e o desespero que sente transparecer em sua voz —, acho que não quero fazer nada hoje. Estou exausto.

Ela o encara, os olhos contraídos, decepcionada.

— E... estou muito preocupado com a Karen — acrescenta ele, imediatamente se dando conta de que disse a coisa errada e xingando-se por ser tão idiota.

— Você precisa parar de se preocupar com a Karen — diz Brigid, a voz alterada. — Ela está presa. Não há nada que você possa fazer. Você sabe, ela sabe e eu sei que ela matou um homem. Será condenada. Vai passar muito tempo na cadeia. — Com rispidez, acrescenta: — E é bem feito para ela.

Tom não acredita no que ouve. O rancor que surge de súbito no rosto de Brigid é alarmante.

— Brigid, ela é sua *amiga* — lembra Tom. — Como você pode dizer uma coisa dessas?

O coração dele bate forte no peito, a voz começa a trair súplica.

— Ela deixou de ser minha amiga no dia em que matou aquele homem e mentiu para você, arruinando a sua vida — fala Brigid. — Que tipo de mulher faz isso com o homem que ama? Você merece coisa muito melhor do que isso.

Ela se aproxima. Enlaça o pescoço dele com as mãos. Tom tenta não afastar o rosto, denunciando seu nojo. Agora percebe — vendo-a com o corte de cabelo igual ao de Karen — que ela não está em seu juízo perfeito. Ele está lidando com uma mulher que não está raciocinando normalmente.

— Brigid — murmura, olhando dentro de seus olhos. — Não sei o que você está pensando...

— Ah, acho que sabe, sim — interrompe-o ela, a voz ofegante, sensual.

Ele quer se desvencilhar dela, mas não se atreve. Segura as mãos dela, afastando-as de seu pescoço.

— Brigid, talvez ontem à noite tenha sido um erro...

— Não diga isso! — exclama ela, o rosto é uma máscara de fúria.

— Mas — objeta Tom, em desespero —, Brigid, nós dois somos casados. Eu sou casado com a Karen e não posso abandoná-la, mesmo se quisesse. E você é casada com o Bob...

— Não importa — protesta Brigid. — Eu te amo, Tom. Amei você esse tempo todo, desde que você terminou comigo para ficar com a Karen. Fico vendo você do outro lado da rua. Sinto uma conexão muito especial com você, você não sente? Isso que aconteceu com a Karen... talvez seja o destino. Você não acredita em destino? Talvez isso estivesse fadado a acontecer, para você e eu ficarmos juntos.

Tom a encara, atônito. Ela não pode estar falando sério. Mas está. Ele está lidando com uma mulher evidentemente desequilibrada.

Sente-se manipulado, sente uma raiva tão grande do poder que ela tem sobre ele, sobre Karen e a felicidade dos dois que poderia facilmente esganá-la.

Capítulo Quarenta

Na manhã seguinte, Tom acorda sobressaltado. Vira-se para o outro lado da cama, o lado de Karen. Está vazio, evidentemente. Karen está presa. Ele sempre demora alguns segundos, toda manhã, para se lembrar do que aconteceu, para despertar do sono mergulhando no pesadelo que a vida se tornou. E hoje demora mais alguns segundos para se lembrar dos paralisantes detalhes mais recentes. Brigid esteve em sua cama mais uma vez ontem à noite.

Ela voltou para casa do outro lado da rua, para seu marido. Graças a Deus.

Ele ouve uma batida à porta. Consulta o radiorrelógio na mesinha de cabeceira. São nove e vinte e seis. Normalmente, já estaria no trabalho, mas agora não tem mais emprego.

Apreensivo, veste um roupão e desce a escada acarpetada para ver quem é. Olha pela janela. É o detetive Rasbach. Claro. Quem mais bate à sua porta senão esse maldito detetive e a maluca da casa da frente? Dessa vez, ele traz uma equipe. Tom sente a cabeça começar a latejar.

Abre a porta.

— O que você quer?

Não consegue esconder o mau humor. Esse homem, mais do que qualquer outra pessoa, além de Robert Traynor, arruinou sua vida.

E ele se sente constrangido com a aparência descuidada e com o fato de não estar usando nada além de um roupão às nove e meia da manhã, enquanto o detetive está barbeado, bem-vestido e animado.

— Tenho um mandado de busca para revistar a casa — anuncia Rasbach, apresentando o documento para Tom.

Tom lê o papel. Devolve-o.

— Entrem.

É um inconveniente, mas não passa disso. Os policiais não vão encontrar nada aqui. Tom já procurou.

— Quanto tempo isso vai demorar? — pergunta, quando Rasbach entra na casa e se põe a dar instruções à equipe.

— Depende — responde o detetive, vagamente.

— Vou tomar um banho lá em cima — avisa Tom.

Rasbach assente e continua o trabalho.

Tom volta para o quarto. Pega o celular e liga para Jack Calvin.

— O que houve? — pergunta o advogado, com a brusquidão de sempre.

— Rasbach está aqui, com um mandado de busca. — Silêncio do outro lado da linha. — O que eu faço? — pergunta Tom.

— Não há nada que você possa fazer. Deixe-os realizarem a busca. Mas fique por perto, para ver se eles encontram alguma coisa.

— Não vão encontrar nada — garante Tom.

— Cheguei de Las Vegas tarde ontem. Estou indo ao presídio para falar com a Karen. Me mantenha informado.

O advogado encerra a ligação.

Tom toma banho, faz a barba, veste uma calça jeans e uma camisa limpa. Só então desce a escada. Atém-se obstinadamente à sua rotina. Faz café. Prepara um *bagel* e se serve de um copo de suco, durante todo o tempo observando os policiais revirarem a cozinha com as mãos calçadas em luvas. "Estão se divertindo?", quer perguntar, mas não pergunta. Quando os homens terminam de revistar a cozinha, ele os acompanha pela casa, levando a xícara de café, observando-os. Não está nervoso, pelo menos. Sabe que não vão encontrar nada.

— O que vocês estão procurando? — pergunta a Rasbach, curioso, à medida que a manhã avança.

O detetive apenas o encara, sem responder.

Por fim, parece que os policiais terminaram. Ao que tudo indica, não encontraram nada. Tom não vê a hora de irem embora.

— Acabou? — pergunta ele.

— Não exatamente. Ainda precisamos dar uma olhada no jardim e na garagem.

Tom fica irritado imaginando o caráter público dessa busca. Mas, quando sai de casa, se depara não apenas com as viaturas policiais, mas também com carros de imprensa, repórteres e os curiosos que se aglomeraram ali fora. Compreende que não faz diferença: toda possibilidade de privacidade se evaporou na noite em que Karen matou uma pessoa.

De jeito nenhum ele irá falar com a imprensa.

A equipe de Rasbach se dirige primeiro à garagem. Trata-se de uma estrutura para dois veículos, normalmente vazia nessa época do ano: eles só estacionam ali no inverno. Agora há apenas a confusão de praxe de ferramentas e utensílios de jardinagem, o cheiro familiar de óleo. Não pode demorar muito mais, e, quando acabar, ele estará livre dos policiais.

Há uma agente agachada perto da bancada. Ela vasculha cuidadosamente uma caixa de ferramentas com bandeja removível na parte de cima. Tom vasculhou ele próprio essa caixa de ferramentas quando Karen estava no hospital.

— Encontrei uma coisa — anuncia a agente.

Rasbach se aproxima, agachando-se ao seu lado.

— Muito bem, vamos dar uma olhada.

Ele não parece muito surpreso.

Tom sente a curiosidade despertar, mas também está com medo. O que teriam encontrado?

Com a mão calçada em luva de borracha, usando dois dedos, a agente ergue um revólver.

Tom sente uma espécie de vertigem. Não consegue entender.

— O que é isso? — pergunta Tom, atônito.

— Meu palpite é que isso seja a arma do crime — responde Rasbach, tranquilamente, enquanto a agente guarda o revólver num saco plástico.

Os policiais dão por encerrada a busca depois de revistar o jardim. Encontraram o que estavam procurando, conclui Tom, a cabeça girando. Ele não consegue acreditar no que acabou de acontecer.

No instante em que a equipe se retira, ele prepara uma pequena mala e a coloca dentro do carro. Fica ao lado do veículo por um instante, olhando para a casa do outro lado da rua. Brigid está na janela, observando-o. Ele sente um calafrio percorrer seu corpo.

Entra no carro e liga para Jack Calvin, que atende imediatamente.

— Encontraram uma arma! — Tom praticamente grita. — Encontraram uma arma na garagem! Acham que é a arma do crime!

— Calma, Tom, por favor — pede Calvin. — Onde você está?

— Acabei de entrar no carro. Estou indo para o seu escritório.

— Estou de saída para ver a Karen. Me encontre no presídio, lá a gente conversa.

Tom tenta se acalmar ao se dirigir ao presídio. Se a arma que encontraram for a arma do crime — e ele sabe que alguns testes podem provar se é ou não —, ela não estava lá quando ele revistou a garagem, depois do acidente. Portanto, se for a arma de Karen, como foi parar lá? Karen não a teria escondido em casa. Não poderia ter feito isso. O que significa que outra pessoa deve tê-la colocado ali

Ele só consegue pensar em uma pessoa que poderia ter feito isso. E está dormindo com ela.

Capítulo Quarenta e Um

O BARULHO CONSTANTE ao seu redor a noite toda na prisão não a deixa dormir. Nem com o travesseiro sobre a cabeça Karen consegue abafar o barulho. Como as pessoas se acostumam com isso? Ela já está cansada quando a manhã nasce e fica ainda pior à medida que o dia avança.

Sente-se sozinha, assustada. Com que rapidez o presídio lhe arrancou a fibra! Ela precisa ser mais resistente do que isso se quiser sobreviver. Lembra a si mesma que é uma sobrevivente. Agora terá de ser realista e forte. Não poderá simplesmente fugir disso.

Uma guarda se aproxima da cela e anuncia:

— Você tem visita.

Karen quase chora de alívio ao se levantar da cama e acompanhar a mulher, que a conduz a uma sala, onde Calvin e Tom a aguardam. Karen abraça Tom com força, lágrimas ardendo nos olhos. É bom sentir os braços dele enlaçando-a. Ele tem o cheiro do mundo lá fora, que ela aspira profundamente. Ela não quer deixá-lo. Chora agarrada ao pescoço dele. Por fim, Tom se afasta e olha para ela. Há lágrimas nos olhos dele também. Ele está com uma aparência péssima.

Calvin pigarreia. Evidentemente quer pôr mãos à obra.

— Precisamos conversar.

Karen mantém os olhos apreensivos fixos no advogado quando todos se sentam. Seu futuro depende desse homem. Segura a mão de Tom: precisa que ele lhe dê forças.

— Você foi a Las Vegas? Visitou o abrigo? — pergunta ela.

— Visitei — assente Calvin. — As mulheres confirmaram que você frequentou o abrigo durante mais de um ano, por causa do comportamento abusivo do seu marido. — Ele se detém. — Mas houve um novo desdobramento.

Nervosa, Karen volta os olhos para Tom, que aperta sua mão.

— Houve uma busca na sua casa agora de manhã — conta Calvin.

Karen olha do advogado para o marido: ambos estão tensos.

— E aí?

— E aí... que encontraram uma arma — responde Calvin.

— Como assim? — surpreende-se ela, aturdida. — Como isso é possível?

Karen se vira para Tom, em busca de confirmação.

— Eles acham que é a arma do crime — continua Calvin. — Acabei de falar com o detetive Rasbach. Estão fazendo alguns testes.

— É impossível! — afirma Karen.

Ela sente o pânico crescer, ameaçando sufocá-la.

Calvin se inclina para a frente, olha dentro dos olhos dela.

— Falemos hipoteticamente por um instante. Existe a possibilidade, hipoteticamente falando, de que a arma encontrada na garagem da sua casa hoje de manhã seja a arma do crime?

Ela balança a cabeça.

— Não. Não pode ser.

— Então o que está acontecendo aqui? — Ele se vira para Tom. — Você sabe?

Ela vê Tom respirar fundo.

— Desconfio — responde ele finalmente, encarando-a, a fisionomia aflita. — Acho que alguém colocou a arma lá.

— Por que você acha isso? — insiste o advogado.

— Porque sei que a arma não estava lá. Revistei a casa depois do acidente, quando a Karen estava no hospital. Revistei tudo, inclusive a garagem. Olhei naquela caixa de ferramentas, e não havia arma nenhuma lá.

Karen o encara, surpresa. Ele revistou a casa enquanto ela estava no hospital. Nunca lhe disse isso.

— Mas a arma estava lá hoje — adverte Calvin. — Então como ela foi parar lá? Karen?

— Não sei — murmura ela. — Não fui eu.

— Pense bem — intervém Tom, dirigindo-se a Calvin. — Karen sofreu um acidente. Não encontraram nenhuma arma no carro. É evidente que ela não levou um revólver para o hospital. Como poderia ter usado a arma e depois a escondido na garagem de casa? E por que faria isso? — Todos se mantêm em silêncio por alguns instantes. — Imagino uma possibilidade — continua Tom.

Karen olha para ele, assustada, mal conseguindo respirar.

Calvin se mostra cansado.

— Sério? E quem seria?

— Nossa vizinha da casa da frente, Brigid Cruikshank.

Eles terão de contar ao advogado, deduz Karen.

Calvin se mostra ligeiramente mais interessado.

— E por que essa vizinha colocaria uma arma na sua garagem?

— Porque ela é louca — responde Tom.

Karen olha novamente do marido para o advogado e respira fundo.

— E porque ela estava lá.

— O quê? — surpreende-se Calvin.

— Ela contou a Tom que me seguiu naquela noite — explica Karen.

— E por que ela faria uma coisa dessas? — pergunta o advogado, desconfiado.

— Não sei — admite Karen.

— Eu sei por quê — afirma Tom, virando-se para a esposa. — Ela é obcecada por você, Karen, e mais obcecada ainda por mim. Fica sentada de frente para a janela da sala dela nos vigiando o dia inteiro, vendo tudo o que fazemos, porque é apaixonada por mim. E *odeia* você.

— O quê? — murmura Karen, perplexa.

— Você não a conhece como eu a conheço — continua Tom.

— Do que você está falando? Ela não me odeia — protesta Karen. — Que absurdo! Além disso, você mal a conhece.

Tom balança a cabeça.

— Conheço, sim.

— Tom, ela é minha *melhor amiga*.

— Não é, não. Quando ela foi lá em casa para contar que seguiu você na noite do acidente...

Ele hesita.

Karen mantém os olhos fixos nele. Apreensiva, fica imaginando o que está por vir, o que ele sabe que ela não sabe. O que Tom não quer dizer?

Ele desvia os olhos, como se não conseguisse encará-la.

— Tem uma coisa de que você precisa saber, Karen. Antes de nos conhecermos, a Brigid e eu... tivemos um caso. Foi um erro. Terminei tudo antes de conhecer você.

Ele olha para ela.

Karen sustenta o olhar de Tom, sem conseguir acreditar no que ouviu, paralisada. Por um instante, não consegue nem falar. Por fim, pergunta:

— E você nunca pensou em me contar isso?

— Não era relevante para nós dois — justifica-se ele, em desespero. — Terminou antes de nos conhecermos.

Ela continua fitando-o, pensando em todos os momentos que passou com Brigid sem saber que ela havia dormido com seu marido. Sente-se péssima.

— Nós combinamos de não dizer nada porque... — Ele hesita. — Teria sido constrangedor para todo mundo.

Ela o encara com algo próximo ao ódio.

— Brigid é casada, Tom.

— Eu sei, mas ela mentiu para mim. Disse que ela e Bob estavam se separando, que saíam com outras pessoas. É muito manipuladora, você nem imagina. Na noite em que foi lá em casa para contar que seguiu você... ela... deu em cima de mim e disse que se... se eu não dormisse com ela, ela contaria à polícia que esteve lá, que viu você naquela noite, que ouviu os tiros e viu você sair correndo do restaurante logo depois.

Karen está petrificada.

— Você transou com ela naquela noite? Com a Brigid? Enquanto eu estava na cadeia?

Por um instante, ela nem considera afastar a mão da mão dele, mas então afasta. Tom enrubesce. Detesta estar magoando-a assim.

— Eu não queria! Fiz isso para proteger você! — argumenta. — E agora ela botou na cabeça a ideia maluca de que nascemos um para o outro, de que, agora que você está presa, podemos ficar juntos. Ela acha que é o destino. Você não entende? Só pode ter sido *ela* que colocou a arma na garagem. Ela está querendo se certificar de que você continue presa.

Karen tenta raciocinar, o coração acelerado.

— Brigid estava lá... Deve ter pegado a arma.

Tom assente.

— É o que estou dizendo.

— Talvez ela tenha deixado impressões digitais no local do crime — imagina Karen. — Você disse que ela abriu a porta do restaurante. — Ela se vira para o advogado. — Você vai pedir à polícia que procure impressões digitais do Robert na nossa casa? — Calvin assente. — Talvez eles também devessem procurar impressões digitais da Brigid. Deve haver. E compará-las às impressões digitais encontradas no local do crime.

Tom e Calvin mantêm os olhos fixos nela.

Ela sustenta o olhar de ambos.

— É nossa dúvida razoável — afirma. — Estou sendo falsamente incriminada pela minha vizinha maluca. Porque ela está apaixonada pelo meu marido.

Capítulo Quarenta e Dois

PELA SEGUNDA VEZ NO DIA, o detetive Rasbach está na residência dos Krupps.

Como as coisas mudam rápido!, pensa. Ontem mesmo, ele estava dizendo que esse caso agora seria fácil, que todas as peças do quebra-cabeça logo se encaixariam. Agora sente que a imagem que está se formando já não é igual à imagem da caixa.

Desde o início, ficou desconfiado da mulher que telefonou dando a informação anônima. Era alguém que sabia o que estava dizendo, porque falou das luvas. Uma possível testemunha. Poderia ser alguém que estava no local do crime, que viu Karen Krupp tirar as luvas e fugir. Alguém que talvez a tivesse visto atirar na vítima e que depois entrou no restaurante para pegar a arma. Quem? Ele achava que alguém das redondezas havia roubado a arma antes de o corpo ser notificado à polícia. Mas talvez não seja tão simples assim.

Se a arma apareceu na caixa de ferramentas de Tom e Karen, outra pessoa decerto esteve no local do crime e pegou a arma. Alguém que deseja ver Karen Krupp presa. Do contrário, por que simplesmente não deixar a arma no local do crime? Por que pegá-la, se não havia um plano para ela?

Rasbach vê Jack Calvin surgir da cozinha, com Tom Krupp em seu encalço. Rasbach respeita Calvin, já trabalhou com ele e sabe que o advogado é um homem honesto.

— Do que exatamente se trata isso tudo? — pergunta o detetive.

— Minha cliente acredita que alguém a estava vigiando nas últimas semanas, entrando na casa dela, vasculhando suas coisas enquanto ela e Tom estavam fora. Acha que era Robert Traynor. Ele a havia localizado. Se encontrarmos impressões digitais de Traynor na casa, é uma prova do perigo que ela estava correndo. E também explica seu estado mental.

Rasbach assente.

— Coletamos as impressões digitais dele. Vamos dar uma olhada. Se houver alguma impressão digital aqui, vamos encontrar.

— E outra coisa — diz Calvin.

— O quê?

— *Alguém* estava entrando na casa. Se não era Traynor, precisamos saber quem era. Minha cliente não colocou aquela arma na caixa de ferramentas. Outra pessoa deve ter feito isso. Precisamos saber quem foi. — Ele demora alguns segundos antes de acrescentar: — Precisamos saber se há outras impressões digitais que correspondam às impressões digitais encontradas no local do crime.

Rasbach analisa calmamente o advogado: Calvin está tentando dizer alguma coisa a ele.

— Tudo bem — assente. — Vamos ver o que descobrimos.

Rasbach quer saber quem também teria entrado na casa. Sente-se de volta ao início da investigação. Há um cadáver e várias perguntas sem resposta.

Karen fica andando de um lado para o outro na cela, pensando no que estará acontecendo. Calvin pediu à polícia que procurasse provas de que Robert havia entrado em sua casa. Ela espera que encontrem impressões digitais dele, porque isso vai confirmar sua posição de mulher maltratada, perseguida por um marido violento, temendo pela própria vida. Se for necessário, usará isso para reduzir seu tempo de confinamento. Mas agora está torcendo por outra coisa, por algo que irá garantir sua liberdade.

Brigid. Brigid trará sua liberdade. Porque Brigid pode ser louca, pode estar apaixonada pelo seu marido, mas o mais importante é que Brigid é idiota. É tão idiota que plantou a arma do crime na garagem da casa.

Karen não poderia prever que Brigid a seguiria naquela noite. Não poderia prever que Brigid pegaria a arma. Ainda está chocada com isso. Mas tudo tem seu lado positivo e, embora Brigid seja uma testemunha que provavelmente poderia condená-la, agiu da maneira errada. Tão desastrada! Plantou a arma. Telefonou para a polícia. Insistiu para que Tom dormisse com ela.

Karen pensa em Brigid em sua cama, transando com seu marido, enquanto ela estava deitada nessa cama pavorosa, nessa cela pavorosa, com o barulho incessante do presídio. Pensa que, durante todo esse tempo, os dois conspiraram para manter o antigo caso deles em segredo.

Revolta-a o fato de Tom ter dormido de novo com Brigid naquela noite, mas isso também é a melhor coisa que poderia ter acontecido. Porque agora Tom pode contar à polícia que Brigid o chantageou para dormir com ela, que ela está apaixonada por ele e quer se livrar de Karen. E, para corroborar o que Tom diz, haverá impressões digitais de Brigid na casa, em lugares onde não deveria haver, se ela fosse apenas uma amiga de Karen. Haverá impressões digitais dela no quarto.

É muita sorte Karen ainda não ter dito nada à polícia. Agora precisa se decidir. Será que conta a verdade: que ainda não se lembra de nada do que aconteceu depois que chegou à porta do restaurante? Ou será melhor mentir, dizendo que já se lembra de tudo: que ela brigou com Robert e saiu correndo para se salvar, que não atirou nele, que ele estava vivo quando ela saiu de lá? Assim todos chegariam à conclusão óbvia: que Brigid a seguiu, ouviu tudo e decerto o matou, depois que Karen fugiu, pensando em incriminá-la.

Ela não precisa provar que Brigid matou Robert, apesar de ser um desfecho maravilhoso. Imagina Brigid ligando para a polícia para falar sobre a arma. Será que ligou do próprio telefone? Não seria incrível? Mas, na verdade, não importa. Eles só precisam levantar dúvida suficiente, criar confusão suficiente, para que o indiciamento dela seja encerrado.

E Tom já não está mais dormindo com Brigid. Ela não tem nada para usar contra eles, porque *eles* vão informar à polícia que Brigid estava no restaurante naquela noite. Karen sabe que Tom vai passar um tempo na casa do irmão. Imagina como a vizinha ficará enfurecida. Triste, solitária, sentada na frente da janela, fitando a casa vazia do outro lado da rua.

Bem feito, pensa.

Rasbach solicitou agilidade na identificação das impressões digitais. Na manhã seguinte, está com o perito, diante de uma série completa de impressões digitais de Robert Traynor e várias impressões digitais coletadas na casa de Tom e Karen Krupp, no dia anterior, bem como amostras tiradas no local do assassinato.

— Não há uma única impressão digital da vítima na casa — afirma o especialista. — Nada. Ele não entrou ou entrou de luva. Pode até ter entrado, mas nós não podemos afirmar isso.

— Jack Calvin vai ficar decepcionado — murmura Rasbach.

— Então ela estava imaginando coisas — pergunta Jennings, parado ao lado de Rasbach — quando diz que alguém estava entrando em sua casa?

O especialista balança a cabeça.

— Como eu disse, ele poderia estar de luva. Mas encontramos muitas impressões digitais de uma pessoa não identificada na casa inteira.

— Como assim, na casa inteira? — pergunta Rasbach.

— Por toda parte. Na sala, na cozinha, nos banheiros, no quarto. Como se a pessoa morasse lá. E é alguém muito tátil, sempre tocando, segurando as coisas. Encontramos essas impressões digitais até dentro da gaveta de roupa íntima da Karen Krupp. Dentro dos armários do banheiro. Nos vidros de perfume. Dentro do arquivo do escritório.

— E na garagem? — pergunta Rasbach.

— Não, nada na garagem.

— Interessante — considera Rasbach.

— Não, o que é *realmente* interessante — frisa o especialista, com brilho nos olhos — é que essas impressões digitais correspondem às impressões digitais que encontramos no local do assassinato, na porta dos fundos do restaurante. A pessoa que estava invadindo a casa também esteve no local do crime, pelo menos em algum momento.

— Isso é *mesmo* interessante — assente Rasbach.

— Mas não há nada no banco de dados. A pessoa não tem ficha criminal.

— Descobriremos quem é. Excelente trabalho. Obrigado — agradece-lhe Rasbach, chamando Jennings.

Quando os dois estão sozinhos, ele diz:

— Tinha mesmo alguém seguindo Karen Krupp. Só não era quem ela imaginava.

— A vida é cheia de surpresas — afirma Jennings.

Ele é estranhamente otimista para um detetive.

— Precisamos conversar de novo com Karen Krupp — decide Rasbach. — Talvez agora ela fale com a gente.

Capítulo Quarenta e Três

— MINHA CLIENTE está pronta para dar sua declaração.

Karen e Calvin estão numa sala de interrogatório do presídio. Tom não está presente. Rasbach se encontra sentado de frente para eles, com Jennings ao seu lado. Há uma câmera na sala, para registrar cada palavra, cada movimento de Karen, enquanto ela estiver sob interrogatório.

Karen sabe que precisa se sair bem. Sua vida depende disso.

Depois de algumas formalidades, eles começam.

— Meu nome é Georgina Traynor — diz ela. — Fui casada com Robert Traynor, um antiquário de Las Vegas.

Ela conta tudo: sua vida com ele, a fuga, os detalhes sórdidos. Conta que achava que Robert estava entrando em sua casa, que estava assustada. Conta sobre a noite em que recebeu o telefonema.

Toma um gole de água, porque a voz está um pouco rouca. Recordar tudo é horrível, ela se sente angustiada.

— Concordei em encontrá-lo. Estava apavorada com a possibilidade de ele fazer mal a Tom. — Ela hesita, mas continua: — Eu tinha uma arma, que comprei quando o deixei, para me proteger caso ele me encontrasse. Escondia a arma na lavanderia de casa. Por isso, quando Robert ligou, peguei a arma e as luvas de borracha na cozinha e fui encontrá-lo.

Ela encara o detetive Rasbach.

— Durante muito tempo, eu não conseguia me lembrar do que tinha acontecido naquela noite, acho que porque foi muito traumático. Mas agora eu me lembro de tudo. — Ela tenta se acalmar antes de continuar. — Quando cheguei, já tinha anoitecido. Entrei no restaurante, e o Robert estava lá, me esperando. No começo, não parecia nervoso, o que me surpreendeu. Talvez, por ver que eu estava armada, tenha sido mais cauteloso. Mas logo começou a me ameaçar, como sempre fez. Disse que tinha gastado muita energia e dinheiro para me encontrar e, se eu não podia ser dele, não poderia ser de mais ninguém. Falou que, se eu não fosse embora com ele, encontraria um jeito de nos matar, a mim e meu marido, e que ninguém nunca iria descobrir nada porque oficialmente eu já estava morta e ele não tinha nenhuma ligação com Tom. Disse que seria o crime perfeito, e eu acreditei nele. — Ela se detém. — Era eu quem estava armada, e *ele* quem estava fazendo ameaças. Robert sabia que eu não teria coragem de atirar nele. Ria na minha cara.

Rasbach a observa, impassível. Ela não consegue decifrar o que ele está pensando. Nunca consegue.

— Eu não sabia o que fazer. Entrei em pânico. Saí correndo. Quando cheguei ao carro, larguei a arma, tirei as luvas. Estava usando as luvas, segurando a arma, e não conseguia pegar a chave no bolso. Por isso larguei a arma e tirei as luvas. Entrei no carro e saí dirigindo o mais rápido possível, até bater naquele poste. — Ela olha dentro dos olhos de Rasbach. — Juro para você que o Robert estava vivo quando saí do restaurante. Ele não me seguiu. Achei que ia me seguir. Achei que a qualquer momento puxaria meu cabelo. — Uma pausa. — Mas ele sabia onde eu e meu marido morávamos.

Karen estremece, como se estivesse revivendo aquele medo.

— Então como a senhora acha que Robert Traynor foi assassinado? — pergunta Rasbach.

— Não sei exatamente.

— Mas tem uma ideia?

— Tenho.

— Diga.

Ela não olha para Calvin.

— Minha vizinha Brigid Cruikshank contou a Tom que me seguiu naquela noite, que ouviu minha conversa com Robert no restaurante.

Ela vê a testa de Rasbach se franzir.

— Por que ela seguiria a senhora?

— Porque é apaixonada pelo meu marido.

Ela acha que encontrou o tom exato de indignação e mágoa.

— E o que a senhora acha que aconteceu?

— Acho que ela pegou a arma onde eu a larguei, no estacionamento, entrou no restaurante e matou o Robert.

Sua voz é quase um murmúrio.

— Por que ela faria isso? — pergunta Rasbach, com claro ceticismo na voz.

— Para que eu fosse presa por assassinato. Ela viu a oportunidade perfeita para se livrar de mim e ficar com o meu marido. — Rasbach não parece acreditar nela. Ergue ainda mais as sobrancelhas. Ela continua: — Brigid e Tom tiveram um caso, antes de ele me conhecer. Ela quer voltar para ele, quer se livrar de mim. Tom me contou que ela o chantageou dizendo que, se ele não dormisse com ela, contaria à polícia que esteve no local do crime naquela noite e que me viu brigando com o Robert. Deve ter ouvido tudo o que falamos.

Rasbach volta os olhos para Jennings, como se achasse tudo aquilo terrivelmente forçado.

Karen olha de um detetive para o outro.

— Deve ter sido ela quem colocou a arma na garagem da nossa casa. Não fui eu. E, se vocês procurarem, acho que encontrarão impressões digitais dela no local do crime. O Tom disse que Brigid contou a ele que abriu a porta do restaurante. Vocês deveriam checar isso.

Sua voz está ficando um pouco aflita. Parece que eles não acreditam nela.

— Entendi — diz Rasbach, como se duvidasse de tudo.

— Ela estava lá! Deve haver testemunhas que a viram passar de carro pela nossa rua, logo depois de mim, naquela noite — argumenta Karen, em desespero. — As mesmas pessoas que me viram passar devem tê-la visto também. Vocês perguntaram a elas?

— Vamos fazer isso — garante Rasbach. — Brigid era sua amiga?

— Era.

— Frequentava sua casa?

— Às vezes.

— O que vocês faziam quando ela estava lá? — indaga Rasbach.

— Tomávamos café, normalmente na cozinha ou na sala, conversávamos.

Agora Karen se sente cansada e quer voltar para a cela.

— Tudo bem — assente Rasbach. — Vamos retomar do começo.

Rasbach se recosta na cadeira e observa Karen Krupp, sentada à sua frente. Ela está exausta, o cabelo em desalinho, mas encara-o com presteza, como se o desafiasse a encontrar algum furo em sua declaração. Rasbach imagina que ela a tenha planejado com cuidado, quase com tanto cuidado quanto planejou sua fuga. E, embora ele seja solidário em relação à fuga — compreende por que ela fez o que fez —, não está engolindo essa história da amnésia.

— É um pouco estranho — observa — que a senhora de repente tenha recuperado a memória. Justo antes do interrogatório.

Com tranquilidade, ela responde:

— Se você conversar com o meu médico, vai descobrir que isso não é nem um pouco estranho. É assim mesmo. A memória volta sozinha. Ou nunca mais volta.

— Conversei com um especialista em amnésia — argumenta ele, atento à reação dela. A expressão dela é impassível. Ela é boa nisso. — E acho um tanto conveniente que a senhora se lembre de tudo agora. Quer dizer, *hoje*. — Ele abre um sorriso. — Poucos dias atrás, a senhora não se lembrava de nada.

Ela cruza os braços e se recosta na cadeira. Não diz nada.

— Estou tendo um pouco de dificuldade em acreditar na sua versão dos fatos — considera Rasbach. Ele aguarda alguns instantes para deixá-la ansiosa. O silêncio se prolonga. — A parte em que estou tendo dificuldade é a seguinte: depois de três longos anos em que Robert Traynor esteve à sua procura, a senhora se encontra com ele, aponta uma arma para ele, e *ele deixa a senhora ir embora.*

Ela o encara, impassível.

— Na minha experiência, homens violentos que foram enganados não têm tanto autocontrole — continua Rasbach. — Na verdade, fico surpreso com o fato de a senhora ter sequer saído de lá viva, se tudo o que diz for verdade.

— Já falei — diz ela, a voz ligeiramente trêmula. — Acho que ele me deixou ir embora porque sabia onde eu morava. Sabia quem era o meu marido. Estava planejando nos matar se eu não fizesse o que ele queria, por isso não precisava me matar ali.

Rasbach sustenta o olhar dela, uma sobrancelha erguida, desconfiado.

— Mas de jeito nenhum ele iria pensar que a senhora simplesmente voltaria para casa e ficaria esperando que ele matasse vocês dois. É uma mulher inteligente. Se ele queria matá-los, a senhora não teria ido à polícia?

— Entrei em pânico, já falei. Saí correndo, não estava pensando direito.

— Mas o que estou dizendo — insiste Rasbach, inclinando-se para a frente — é que Robert Traynor *deduziria* que a senhora iria à polícia. Ou que iria desaparecer de novo. Então por que a deixaria ir?

Ela agora está mais pálida, mais nervosa.

— Não sei. Não sei o que ele estava pensando.

— Acho que ele não deixaria a senhora ir embora. Para mim, ele estava morto quando a senhora saiu daquele restaurante. — Ela olha dentro dos olhos dele, sem hesitar. Rasbach muda de estratégia. — Há quanto tempo a senhora sabe do caso do seu marido com sua vizinha Brigid Cruikshank?

— Ele acabou de me contar.

Rasbach assente.

— É, ele guardou segredo. Por que a senhora acha que ele fez isso, se o caso já havia terminado, como ele diz, quando a senhora o conheceu?

— Por que você não pergunta a ele? — rebate ela, obviamente magoada.

— Eu perguntei. Quero saber o que a senhora acha.

Ela o encara.

— Brigid disse que estava se separando do marido. Ele acreditou. Senão não teria feito o que fez.

— Mas por que ele não contou antes? Será que foi porque ficou com medo de que a senhora não acreditasse numa explicação tão conveniente?

Ela lança para ele um olhar furioso, mas se mantém calada.

— Seu casamento não se baseia exatamente na honestidade — salienta Rasbach. — Mas não importa.

— Você não sabe nada sobre o meu casamento — afirma ela, com rispidez.

Ela está ficando irritada, pensa ele.

— Outra coisa — diz Rasbach. — Também estou tendo dificuldade em imaginar Brigid Cruikshank pegando a arma que a senhora largou no estacionamento por livre e espontânea vontade e entrando no restaurante para matar Robert Traynor.

— Por quê? — objeta Karen. — Não tenho nenhuma dificuldade em imaginar isso. Ela é maluca. Está obcecada pelo meu marido. Quer que eu seja presa. Pode perguntar ao Tom. Ela é completamente louca.

— Vou perguntar — assente Rasbach. — E conversar com ela também.

Rasbach e Jennings voltam para a delegacia. O caso, que antes parecia ter se tornado tão fácil, agora está longe disso. Rasbach já não sabe mais no que acreditar.

— Só para bancar o advogado do diabo, e se ela tiver razão? — imagina Jennings. — E se coletarmos as impressões digitais dessa Brigid e elas corresponderem às impressões digitais que encontramos por toda parte na casa deles e também no local do crime? Talvez tenhamos prendido a pessoa errada.

— Talvez. Quem quer que tenha colocado a arma naquela garagem esteve no local do crime. Talvez tenha sido essa Brigid. Talvez Tom Krupp ainda tivesse um caso com a vizinha e por isso havia impressões digitais dela pela casa toda. — Rasbach olha pela janela, contemplando a paisagem. Por fim, diz: — Os testes da arma já devem ter sido feitos. Talvez essa não seja nem a arma do crime. Pode ser que algum maluco a tenha colocado na casa dos Krupps para rir da nossa cara. Vamos conversar com o especialista, coletar as impressões digitais dessa Brigid e ver o que realmente temos como prova.

Quando eles chegam à delegacia, Rasbach telefona para o especialista em armas de fogo, que confirma que o revólver encontrado na garagem do casal é sem dúvida a arma que matou Robert Traynor.

— Bem, agora temos certeza disso — considera Rasbach. — Vamos conversar com Brigid Cruikshank.

Capítulo Quarenta e Quatro

BRIGID ENCARA FIXAMENTE a casa do outro lado da rua como se isso pudesse trazê-lo de volta.

O carro de Tom não está ali. Ela não vê o carro dele parado ali na frente desde a noite passada. A polícia esteve na casa uma segunda vez, o que a deixou intrigada. Então eles não tinham encontrado a arma? Ela tinha certeza de que sim. Ficou observando-os vasculhar a garagem sentada nessa mesma poltrona, seria impossível não encontrarem o revólver.

Por fim, os policiais foram embora, e pouco tempo depois ela viu Tom jogando uma mala no carro. Ele parou ao lado do veículo e olhou para ela. O coração dela se apertou. Por que ele a estava deixando? Os dois não tinham um acordo? Será que ele não sentia o que ela sentia, agora que estavam juntos de novo?

Mas ele não voltou na noite passada. Dormiu fora de casa, e foi como se o mundo dela desabasse. Ele a estava evitando. *O que ela pode fazer para trazê-lo de volta?*

Brigid contém lágrimas de frustração. Tom não pode ficar longe de casa para sempre apenas com uma pequena mala. Terá de voltar a trabalhar, precisará dos ternos. Terá de voltar para casa, e ela ficará vigiando: ele não vai escapar. Ela fará com que Tom entenda que pertence a ela. E vai se certificar de que Karen jamais saia da cadeia.

Se for preciso, irá testemunhar contra ela, mesmo se Tom não gostar, mesmo se passar um tempo detestando-a por isso. Porque, enquanto Karen estiver na vida dele, ela será a preferida de Tom. Isso é o que deixa Brigid mais enfurecida.

Ela vê um carro entrar a rua, observa-o parar em frente à sua casa. Conhece o carro. E reconhece os dois detetives que saltam do veículo. O que eles estão fazendo aqui? Ela sente o corpo se retesar.

A campainha toca. Aflita, Brigid cogita ignorá-la, mas eles provavelmente a viram pela janela. E, mesmo se não viram, certamente voltarão mais tarde. Ela se levanta para atender. Antes de abrir a porta, estampa no rosto o que espera ser um sorriso tranquilo.

— Sim? — cumprimenta-os.

— Boa tarde — diz o detetive Rasbach, mostrando o distintivo.

— Sei quem você é, detetive — fala ela. — Eu me lembro de vocês da última vez em que estiveram aqui.

— Podemos entrar? — pergunta ele.

— Claro.

Brigid os convida a se sentar na sala. Jennings se senta na mesma hora, mas Rasbach se dirige à janela, mantendo-se atrás da poltrona preferida de Brigid, olhando para a casa dos Krupps.

— Bela vista — observa.

Ele finalmente se senta de frente para ela. Os penetrantes olhos azuis a deixam desconcertada. Ele deve ter notado que ela cortou o cabelo. Brigid resiste ao impulso de tocá-lo.

— Como posso ajudá-los?

— Temos algumas perguntas — responde Rasbach — sobre Karen Krupp, sua vizinha. Ela foi presa devido a uma investigação de homicídio em andamento.

Brigid cruza as pernas e entrelaça as mãos no colo.

— Eu sei. Isso é tão assustador! Achei que a conhecesse bem, mas na verdade não fazia ideia de quem ela era. Quer dizer, acho que ninguém fazia. Tenho certeza de que o marido não tinha ideia.

— Ela ainda não foi condenada — salienta Rasbach.

Ela se sente enrubescer.

— Não, eu sei. — Descruza e cruza novamente as pernas e acrescenta: — Antes de ser presa, Karen me disse que achava que tinha testemunhado um assassinato e que vocês estavam tentando fazê-la se lembrar do que aconteceu naquela noite, para ajudar na investigação. — Ela encara o belo detetive. — Mas não é verdade, é? — Como Rasbach não responde, ela olha de um detetive para o outro, de maneira cúmplice. — Eu sabia que tinha mais alguma coisa. A polícia vive naquela casa. — Ela se inclina para a frente, na esperança de transmitir a devida preocupação ao perguntar: — Quem era o homem? Vocês sabem por que ela o matou?

— Por enquanto, estamos apenas investigando todas as possibilidades — responde Rasbach. — E esperamos que a senhora possa nos ajudar.

— Claro — afirma ela, recostando-se no sofá.

— Karen Krupp alguma vez mencionou à senhora que tinha medo de alguém, que temia pela própria segurança?

Brigid balança a cabeça.

— Não.

— Alguma vez disse que tinha uma arma?

Ela se mostra surpresa.

— Não.

— A senhora alguma vez viu alguém suspeito rondando a casa deles?

Brigid volta a balançar a cabeça.

— Não, por quê?

— Tom e Karen Krupp afirmam que alguém estava entrando na casa deles, algumas semanas atrás. Achamos que isso pode ter relação com o que aconteceu naquela noite. Por isso procuramos impressões digitais dentro da casa e, como sabemos que a senhora volta e meia visitava Karen, gostaríamos de coletar as suas digitais para eliminá-la da lista de visitas não identificadas. A senhora poderia nos acompanhar à delegacia para isso? Seria de grande ajuda.

Brigid o encara, pensa depressa. Sabe que limpou a arma, até pesquisou no Google como limpar direito — e usou luvas quando a escondeu na garagem. Sabe que não deixou impressões digitais na arma. Além disso, existem bons motivos para haver suas digitais na casa: ela é amiga do casal. Portanto, não tem com o que se preocupar.

A não ser por algo que anda incomodando-a. Ela tem certeza de que empurrou a porta do restaurante com a mão naquela noite. Por outro lado, tudo bem. Porque, se for preciso, pode admitir que esteve lá e que viu Karen matar aquele homem. Tom vai ficar com muita raiva, mas Karen continuará presa, e uma hora ele vai entender. Ela se dá conta de que não tem muito o que fazer em relação às digitais. E, se for preciso admitir que esteve lá... pelo menos ainda não disse nada sob juramento. Só falou que não estava em casa. Pode mudar sua declaração. Talvez tenha de dizer a verdade sobre o que viu. Rasbach aguarda a resposta.

— Claro — concorda ela. — Agora?

— Se não for inconveniente — responde o detetive, de forma educada.

Ouve-se um barulho na porta, e todos se viram naquela direção. Bob Cruikshank entra na sala.

— O que está acontecendo? — Ele parece surpreso. — Quem são vocês? — pergunta aos detetives.

— O que você está fazendo aqui? — indaga Brigid, igualmente surpresa. Queria que Bob não tivesse aparecido.

— Não estou me sentindo bem — explica o marido. — Vim me deitar um pouco.

Rasbach se levanta e mostra o distintivo, dizendo:

— Sou o detetive Rasbach, esse é o detetive Jennings. Estamos investigando um homicídio e viemos fazer algumas perguntas à sua esposa.

— O que vocês querem com ela? — protesta Bob, desconfiado. — É sobre a nossa vizinha da frente, não é? As duas são amigas, mas duvido que a Brigid possa ajudá-los.

Brigid lança um olhar hostil ao marido.

— Talvez eu não seja tão imprestável quanto você imagina — diz ela.

Ele fica surpreso com a resposta. Os detetives observam o casal em silêncio.

— Vamos — diz ela aos policiais, passando pelo marido.

Ela o ouve perguntar:

— Aonde você vai?

Brigid dá meia-volta e responde:

— Eles vão coletar minhas impressões digitais na delegacia.

Acha graça do olhar de perplexidade do marido. *Ele que fique remoendo isso,* pensa.

Já é início da noite quando Rasbach recebe do laboratório o resultado das impressões digitais. Ele e Jennings estão em sua sala, comendo pizza, conversando sobre o resultado e sobre quais medidas tomar agora.

— Brigid Cruikshank esteve no local do crime. Há impressões digitais dela na porta — observa Rasbach.

Ele não está nem um pouco surpreso porque, enquanto aguardavam o resultado das impressões digitais, ele e Jennings voltaram ao bairro para interrogar mais uma vez as outras vizinhas, perguntando se elas tinham visto Brigid naquela noite. E ambas as mulheres que viram Karen dirigindo apressada naquela noite também viram Brigid passar logo depois. Portanto, eles já sabiam que a vizinha havia seguido Karen Krupp.

— E tem impressões digitais dela por toda parte na casa — acrescenta Jennings.

— Era Brigid quem estava entrando na casa — afirma Rasbach. — São delas as impressões digitais que encontramos até na gaveta de roupa íntima da Karen. Não havia impressões digitais nem do Tom Krupp na gaveta de calcinhas da esposa.

— Então o que ela estava fazendo vasculhando a roupa íntima da Karen Krupp? — reflete Jennings. — É um comportamento bem bizarro.

— Provavelmente foi Brigid que pegou a arma e a escondeu na garagem — considera Rasbach. — Karen diz que Brigid é apaixonada por Tom e está tentando incriminá-la pelo assassinato. — Ele respira fundo. — O que temos de fato aqui?

— Talvez Brigid seja *mesmo* apaixonada por Tom — sugere Jennings. — Talvez seja louca. Talvez tenha seguido Karen, atirado em Traynor e escondido a arma na garagem.

Meditativo, Rasbach diz:

— Ambas estiveram lá. Qualquer uma das duas pode tê-lo matado. Ambas tinham motivo para isso. Mas não poderemos indiciar nenhuma delas, porque uma dirá que foi a outra. — Rasbach se recosta na cadeira. Em desalento, joga a borda da pizza em cima da mesa. — É quase como se as duas mulheres tivessem planejado o crime perfeito juntas.

— Será que foi conluio? — imagina Jennings.

— Acho que não — responde Rasbach. — O que Brigid ganharia com isso? É ótimo para Karen. Robert, a ameaça, está morto. Karen fica impune. Maravilhoso. Mas o que Brigid ganha? Nada. — Rasbach encara Jennings. — Você faria isso por um amigo?

— Não — reconhece Jennings. Então sugere: — Talvez Brigid e Karen sejam mais do que apenas amigas. Talvez sejam amantes e tenham planejado isso juntas para se livrar de Robert. Sem Tom Krupp fazer ideia do que está acontecendo.

Rasbach inclina a cabeça.

— Você sabe dar asas à imaginação — diz ele, e Jennings dá de ombros, sorrindo. Cansado, Rasbach passa a mão no rosto. Balança a cabeça. — Acho que não é o caso.

— Nem eu.

— Acho que elas não tramaram isso juntas, não. Acho que as duas têm motivos distintos. — Rasbach se recosta na cadeira. — Precisamos interrogar Brigid. Mas vamos interrogar Tom Krupp primeiro.

Capítulo Quarenta e Cinco

Tom está tenso quando chega à delegacia na manhã seguinte. Preferiria estar em qualquer outro lugar. A sala de interrogatório já está quente, como se o ar-condicionado estivesse desligado ou quebrado. Será que fazem isso de propósito, para vê-lo suar? De algum modo, Rasbach parece não se importar com o calor. Nervoso, Tom se mexe na cadeira quando eles começam.

— Qual é a sua relação com Brigid Cruikshank? — pergunta Rasbach, sem perder tempo.

Tom enrubesce.

— Já contei para vocês.

— Conte de novo.

Ele não sabe se os detetives já conversaram ou não com Brigid e o que ela poderá ter dito. Teme que a versão dela possa ser diferente da dele. Reconta o breve caso que tiveram, interrompido por ele mesmo.

— Achei que tivesse acabado. Não imaginei que ela ainda gostasse de mim. Mas, depois que Karen foi presa, ela foi até a minha casa e...

Ele se detém.

— E o quê? — pergunta Rasbach, paciente.

— Minha mulher já contou isso para vocês.

Tom sabe o que Karen disse aos detetives na véspera, em detalhes. Calvin lhe contou tudo. Também sabe que Karen mentiu para o advogado e para os detetives sobre ter recuperado a memória. Tom preferia que ela não tivesse feito isso.

— Queremos ouvir do senhor — insiste Rasbach.

Tom suspira.

— Brigid disse que seguiu a Karen naquela noite e que, se eu não transasse com ela, contaria à polícia que esteve no local do crime, que ouviu tiros e que viu a Karen sair correndo do restaurante logo depois.

— O senhor então transou com ela depois que ela o ameaçou?

— Transei — afirma Tom.

Ele sabe que parece emburrado, envergonhado. Ergue a cabeça e olha dentro dos olhos do detetive.

— Então o senhor acreditou quando ela disse que a Karen cometeu o assassinato — deduz o detetive.

— Não! Não acreditei, não! — objeta Tom, o rosto vermelho. — Achei que ela estava inventando tudo e que contaria essas mentiras à polícia... e isso só pioraria a situação da Karen.

Tom se mexe mais uma vez na cadeira, sente o suor escorrendo por baixo da camisa.

— Por que o senhor acha que Brigid o ameaçou assim? — pergunta Rasbach.

— Ela é louca — afirma Tom. — Porque ela é louca. É por isso! Fica sentada na frente da janela vigiando tudo o que fazemos. É obcecada por nós dois e está apaixonada por mim. É como se enxergasse as coisas de maneira distorcida, e nós nos tornamos parte dessa fantasia dela. — Ele não tem nenhum problema em dizer essas coisas, porque é tudo verdade. Calvin contou a eles o que os técnicos encontraram na casa: Tom sabe sobre as impressões digitais. Agora ele se debruça sobre a mesa, encarando o detetive. — Todos sabemos que ela entrava na minha casa quando não estávamos lá. Todos sabemos o que as impressões digitais mostram. Ela devia estar bisbilhotando a casa havia semanas. *Se deitando na nossa cama. Revirando a roupa íntima da Karen.* Agora até cortou o cabelo igual ao da minha mulher. Não é loucura? Quem faz essas coisas? — Tom se dá conta de que está agitando os braços alucinadamente. Recosta-se na cadeira, tentando se acalmar. Rasbach sustenta seu olhar, sem dizer nada. — Alguns dias atrás — continua Tom —, Karen achou que alguém tinha aberto o perfume dela e o deixado destampado. Pensei que tivesse sido ela mesma. Mas sabe quem tinha deixado impressões digitais na tampa do perfume? Brigid!

— Como o senhor acha que ela entrava na casa? — pergunta Rasbach.

— É, andei pensando nisso — considera Tom. — Emprestei a ela a chave de casa quando estávamos juntos. Ela devolveu a chave. Mas imagino que tenha feito uma cópia antes.

— E o senhor nunca trocou a fechadura?

— Não. Por que faria isso? Não imaginava que isso pudesse acontecer.

Mas deveria ter trocado. É claro que deveria ter trocado a fechadura.

Rasbach continua fitando-o.

— O senhor gostaria de acrescentar alguma coisa?

— Gostaria. Ela é a única pessoa que pode ter colocado a arma na garagem da nossa casa. Deve ter seguido a Karen, como eu disse. Deve ter pegado a arma. — Tom se recosta na cadeira, os braços cruzados. — E agora? Vocês vão prendê-la?

— Prendê-la pelo quê, exatamente? — pergunta Rasbach.

Tom o encara, perplexo.

— Não sei — responde ele, com sarcasmo. Por nos assediar, por colocar a arma lá — sugere.

— Não temos prova de que ela colocou a arma lá — adverte Rasbach.

Tom sente uma pontada de medo.

— Quem mais poderia ter feito isso? — pergunta, aflito.

— Não sei. Pode ter sido qualquer pessoa. As ligações foram feitas de um telefone público.

Tom encara Rasbach, atônito, a ansiedade aumentando. *Merda. Se Rasbach não acredita que Brigid colocou a arma lá...* Tom sente suas entranhas se revirarem de medo sob o olhar atento do detetive.

— Posso, quem sabe, indiciá-la por violação de domicílio — pondera Rasbach, colocando-se de pé. — Por ora, não temos mais nenhuma pergunta. O senhor está liberado.

Tom se levanta devagar, tentando manter a dignidade.

— É muito conveniente sua esposa recuperar a memória de repente — comenta o detetive.

Tom fica paralisado, obrigando-se a ignorar o comentário. Não responderá nada.

— Ah, só mais uma coisa — acrescenta Rasbach. — Por que Brigid queria se encontrar com o senhor naquela noite?

Tom volta a se sentar.

— Perguntei a ela, naquela noite, quando telefonei para ver se ela sabia onde a Karen estava. Perguntei por que ela queria se encontrar comigo e por que não tinha aparecido. Mas ela me falou que era para eu deixar pra lá, disse que não era importante, que tinha surgido um imprevisto. — Ele se detém, se lembrando da conversa. — Eu estava tão preocupado com a Karen que não insisti. Mas depois...

Ele hesita.

— Depois... — instiga-o Rasbach.

Tom não sabe se deve ou não contar isso. Mas e se Brigid contar?

— Ela disse que queria se encontrar comigo naquela noite para me contar que tinha visto um homem rondando a nossa casa pela manhã.

— Quem era?

— Não tenho certeza, mas, pela descrição, parecia ser Robert Traynor.

Capítulo Quarenta e Seis

BOB INSISTIU EM ACOMPANHAR Brigid à delegacia, mas ela disse que não precisava. Quando ela voltou para casa, depois de coletar as impressões digitais, ele se mostrou preocupado. Por que queriam as digitais dela? Aquilo era um procedimento normal da polícia? Ele a fitava como se temesse que Brigid tivesse cometido algum crime. Ela o deixou se afligir por um tempo, até explicar que só queriam as impressões digitais para eliminá-la da lista de pessoas que haviam invadido a casa dos Krupps.

Porém, quando os detetives telefonaram hoje à tarde pedindo a ela que comparecesse à delegacia para responder a algumas perguntas, Bob estava em casa, ainda se sentindo meio mal, por isso perguntou o que estava acontecendo. Ela explicou que iria à delegacia para um interrogatório. Ele a encarou daquele mesmo jeito, como se de repente temesse alguma coisa. Queria se vestir para acompanhá-la, mas ela mais uma vez disse que não precisava e entrou no carro sem esperar pelo marido. E agora Bob está preso em casa, esperando, preocupado. Brigid acha isso divertido. *Imagine só, o Bob interessado em alguma coisa!* Ela abre um sorriso frio. Agora é tarde demais. Ela já está em outra.

Na delegacia, Brigid se apresenta e é imediatamente conduzida a uma sala de interrogatório. Os detetives Rasbach e Jennings chegam pouco depois. Falam para ela sobre a câmera. Ela gosta da maneira como a tratam: são simpáticos mas respeitosos, tentando deixá-la à vontade. Como se ela lhes estivesse fazendo um favor. E *está* fazendo mesmo. Oferecem até café, que ela aceita, graciosa. São todos amigos aqui, com o mesmo objetivo. Os detetives querem condenar a assassina, ela também.

— Qual é sua relação com Karen Krupp? — começa Rasbach.

— Somos vizinhas e amigas — responde Brigid. — Somos amigas há cerca de dois anos, desde que ela se casou com o Tom e foi morar com ele.

Rasbach assente.

— E como é a sua relação com o marido dela, Tom Krupp?

Ela enrubesce. Fica irritada consigo mesma por isso. Pega o café.

— Gosto de pensar que também somos amigos — responde, se recompondo.

— Só amigos? — pergunta Rasbach.

Ela sente o rosto arder mais. Não sabe o que dizer. Será que Tom contou aos detetives sobre o caso deles? Terá dito que eles voltaram a dormir juntos? Claro que não. Se disse, já não deve temer que ela conte que viu Karen no local do crime naquela noite. Terá Karen feito algum tipo de acordo com a polícia?

— Por que você está me perguntando isso?

— Apenas responda à pergunta, por favor — pede Rasbach.

— Não vou responder.

Ela não está presa. Não precisa responder a nenhuma pergunta. Teme que Tom tenha contado aos detetives sobre os dois. Não gosta da ideia de perder sua posição vantajosa. Precisa tomar mais cuidado a partir de agora.

O detetive muda de assunto.

— Onde a senhora estava na noite do acidente de Karen Krupp, 13 de agosto, às oito e vinte?

— Não me lembro exatamente.

— Tom Krupp disse que a senhora telefonou para ele nesse dia e combinou de se encontrar com ele às oito e meia, mas não apareceu. — Ela se mexe na cadeira, surpresa. — Por que a senhora queria encontrá-lo?

Ela olha de Rasbach para Jennings. Não quer se meter em confusão por ter deixado de mencionar isso antes.

— Na verdade, eu tinha me esquecido, por causa do acidente, mas, naquela manhã, vi um homem estranho espiando a casa deles, olhando pela janela. Telefonei para o trabalho do Tom e pedi a ele que se encontrasse comigo à noite.

Ela se detém.

— E a senhora sentiu necessidade de falar com ele pessoalmente por isso? — pergunta Rasbach.

— Não foi só isso — esclarece Brigid. — O homem veio falar comigo. Parecia meio... perigoso. Disse que conhecia a Karen de outra vida. Foram as palavras exatas dele. Foi por isso que telefonei para o Tom e pedi a ele que fosse se encontrar comigo. Achei que era algo que ele deveria saber e preferi não falar pelo telefone.

— Mas a senhora não compareceu ao encontro com Tom Krupp naquela noite. Por quê?

Brigid hesita. Não quer contar a eles onde esteve naquela noite. Seria melhor se eles condenassem Karen sem seu testemunho. Seria melhor para ela e para Tom, para seu futuro juntos. Por isso colocou a arma na casa.

Rasbach insiste:

— Quando a interrogamos depois do acidente, a senhora disse que não estava em casa naquela noite, por isso não viu Karen sair. Onde a senhora estava?

— Não me lembro.

— Jura? — admira-se o detetive. — Temos duas testemunhas que viram a senhora passar na rua de carro poucos minutos depois de Karen sair de casa, seguindo na mesma direção.

Ela engole em seco.

— E encontramos impressões digitais suas na porta do restaurante onde o corpo foi encontrado.

Rasbach já não parece tão simpático.

Brigid começa a ficar nervosa.

— Como a senhora explica isso? — pergunta Rasbach.

Não há explicação, a menos que ela conte a verdade. Sabia que isso poderia acontecer.

— Tudo bem, vou dizer a verdade — cede, ainda olhando de um detetive para o outro. — Preciso de um advogado?

— A senhora não está presa. Mas pode chamar um advogado, se quiser.

Ela balança a cabeça, passa a língua nos lábios.

— Não, não preciso. Quero contar o que realmente aconteceu. — Ela respira fundo. — Eu estava *mesmo* em casa naquela noite. Estava prestes a sair para encontrar Tom quando vi a Karen descendo a varanda apressada. Achei aquilo estranho, parecia que ela estava com algum problema, por isso entrei no carro e decidi segui-la, em vez de encontrar o Tom. Afinal, tinha visto aquele homem de manhã. Achei que ela poderia precisar de ajuda; é minha amiga. — Ela se detém. Os detetives a observam com atenção. Ela torce as mãos debaixo da mesa enquanto fala. — Eu a segui até aquela parte horrorosa da cidade. Ela parou o carro num estacionamento, perto do restaurante, e eu estacionei num centro comercial, do outro lado da rua. Vi a Karen entrando no restaurante, pelos fundos. Estava usando luvas de borracha cor-de-rosa e segurava uma arma. Eu estava me aproximando do restaurante quando ouvi três tiros. Aí vi a Karen sair correndo do local. Ela tirou as luvas, entrou no carro e foi embora.

— E o que a senhora fez?

Brigid respira fundo.

— Contornei o restaurante e entrei lá. Tinha um homem caído no chão, morto. — Ela leva a mão à boca, como se sentisse vontade de vomitar. — Eu não conseguia acreditar naquilo. Fiquei apavorada. Corri de volta para o carro, fui para casa. — Brigid olha dentro dos olhos azuis do detetive. — Estava em casa havia algum tempo, sem saber o que fazer, quando o Tom ligou perguntando se eu sabia onde a Karen estava, e respondi que não. — Ela começa a chorar. — Não sabia o que dizer. Não podia falar que a mulher dele tinha acabado de matar uma pessoa.

Brigid deixa as lágrimas verterem. Jennings empurra uma caixa de lenços em sua direção, e ela pega um.

— Por que a senhora não foi à polícia para contar o que sabia? Dizer que era uma testemunha? — Rasbach a encara com olhos acusatórios, deixando-a aflita — Por que não disse a verdade quando a interrogamos?

— Ela era minha amiga — murmura Brigid. — Sei que deveria ter me manifestado, mas ela era minha amiga.

— A senhora pegou a arma?

— O quê?! — exclama Brigid, cada vez mais nervosa.

— A senhora pegou a arma que ela deixou no local?

Eles não podem suspeitar que ela tenha colocado a arma na casa.

— Não, não vi nenhuma arma. Estava escuro, eu estava transtornada. Apenas fugi.

— Então a senhora não pegou a arma e depois a deixou na garagem da casa dos Krupps?

Ela enrubesce e tenta parecer indignada, ciente de que talvez devesse ter chamado um advogado.

— Não. — Levanta a voz. — Por que eu faria isso?

— A senhora não telefonou para a delegacia, não apenas uma vez, e sim duas, pedindo que procurássemos a arma do crime na propriedade?

— Não.

— Se conferirmos seu registro telefônico, não encontraremos essas ligações?

— Não.

— Não mesmo, porque essas ligações foram feitas de um telefone público, como a senhora bem sabe, porque foi a senhora quem fez essas ligações. Encontramos suas impressões digitais no telefone público.

Ela sente uma espécie de vertigem. Não consegue raciocinar direito. Não consegue pensar numa saída.

— A senhora é apaixonada por Tom Krupp?

Brigid hesita, surpresa com a pergunta.

— Não.

— Ele diz que sim.

— Diz? — Ela está confusa. — O que foi que ele disse?

— Disse que a senhora é apaixonada por ele. Que o chantageou alegando que teria seguido Karen naquela noite, que viu o que aconteceu e que só não contaria à polícia o que viu se ele transasse com a senhora. Isso é verdade?

Brigid fica furiosa. Como Tom se *atreve*! Como ele pôde interpretar as coisas dessa forma? Não, certamente ele não diria isso. É o detetive quem está distorcendo as palavras dele. Ela se mantém imóvel e não responde.

— Karen Krupp afirmou que Robert Traynor estava vivo quando ela saiu daquele restaurante.

— Isso não é verdade! — exclama Brigid.

— Karen disse que largou a arma e as luvas perto do carro e foi embora. Falou que a senhora deve ter pegado a arma, entrado no restaurante e matado Robert Traynor, depois colocado o revólver na garagem da casa dela.

— O quê? — Brigid se sobressalta.

— Porque a senhora quer que ela seja presa, porque é apaixonada por Tom. — Ele aproxima o rosto do rosto dela. — Sabemos do seu caso com ele. Tom Krupp nos contou tudo, nos mínimos detalhes. — Ele a fita com seus olhos azuis terrivelmente francos. — E sabemos que a senhora invadiu a casa deles, que revirou as coisas deles. Há impressões digitais suas por toda parte. Sabemos que a senhora tem a chave da casa.

Nervosa, Brigid diz:

— Que absurdo! Eu gostaria de chamar um advogado.

Capítulo Quarenta e Sete

QUANDO BRIGID VAI EMBORA, Rasbach sabe que a primeira coisa que ela vai fazer é procurar um advogado e que eles não conseguirão arrancar mais nada dela. Os dois detetives voltam à sala de Rasbach para discutir o caso.

— O que você acha? — pergunta Jennings quando os dois se sentam.

— Acho que é tudo uma grande confusão — murmura o outro, evidentemente frustrado. Eles permanecem em silêncio por alguns instantes. Por fim, Rasbach pergunta: — O que você achou da Brigid?

— Acho que ela pode ter um parafuso a menos, como dizem Tom e Karen Krupp.

— Mas será uma assassina?

Jennings inclina a cabeça.

— Talvez.

— E esse é o problema. — Rasbach suspira. — Ainda acho que Karen Krupp matou Robert Traynor. Não acredito na história dela. Todo esse lance de ela estar com amnésia e depois recuperar de súbito a memória me parece muito conveniente. Não caí nessa.

— Nem eu.

— E é muito interessante que Tom Krupp não tivesse nada a dizer sobre isso. Fico imaginando o que ele pensa de fato.

— Eu adoraria saber — concorda Jennings. — O coitado estava esperando à margem do rio enquanto isso tudo acontecia, sem fazer ideia de nada.

Rasbach assente.

— Não consigo acreditar que Karen teria fugido de Robert Traynor e largado a arma lá, que Brigid teria pegado o revólver para matar Robert. Não consigo conceber essa cena. Acho que Traynor não teria deixado Karen fugir e Brigid não me parece rápida o bastante para ter decidido tudo na hora. Para mim, Karen o matou, Brigid viu e *só aí* enxergou uma oportunidade e então decidiu pegar a arma.

Jennings o encara, meditativo.

Rasbach franze a testa.

— A promotora pública provavelmente vai retirar a acusação contra Karen Krupp. Não terá escolha. — Rasbach balança a cabeça. — Não conseguirá provar nada: duas pessoas estiveram no local do crime, ambas tinham motivo para cometê-lo.

— Ela vai ser solta — concorda Jennings.

Rasbach diz:

— Uma dessas mulheres matou Robert Traynor. Acho que foi Karen Krupp. Mas as únicas pessoas que sabem de fato o que aconteceu são ela e Brigid. — Ele encara Jennings. — E parece que as duas amam o mesmo homem. Isso é um prato cheio para um desastre.

— Fico feliz de não ser Tom Krupp — observa Jennings.

Susan Grimes é uma promotora pública competente. É inteligente e prática, por isso Rasbach sabe que está numa posição complicada.

Ele já expôs todas as evidências. E se encontra agora parado junto à janela da sala dela, observando-a sentada à enorme mesa. Jennings está sentado de frente para a promotora. É hora da verdade.

— Você está brincando — murmura Susan Grimes.

— Infelizmente, não — responde Rasbach.

— Você acha que foi Karen Krupp — salienta Susan.

— Acho — confirma Rasbach. — Mas sei que vai ser difícil provar isso.

— Difícil provar? Está mais para "melhor nem tentar". — Ela dá um suspiro, tira os óculos e esfrega os olhos cansados. — Karen tem o melhor motivo, um motivo forte. Sabemos que esteve no local, temos provas concretas disso, além do testemunho da outra mulher. Qual é mesmo o nome dela?

— Brigid Cruikshank — informa Rasbach.

— E ela estava evidentemente fugindo do local. — Rasbach assente. A promotora inclina a cabeça e continua: — Mas há impressões digitais de Brigid na porta do restaurante. O casal diz que Brigid é apaixonada por Tom Krupp e que está tentando incriminar Karen. Que provas eles têm disso?

— Brigid não admite ser apaixonada por Tom Krupp, não admitiu nem sequer o caso que eles tiveram — observa Rasbach. — Portanto é a palavra dele contra a dela. Mas há impressões digitais dela na casa deles inteira. E não nos esqueçamos da arma.

— A arma — murmura a promotora. — Esse é o verdadeiro problema. Os Krupps evidentemente não guardaram a arma na garagem de casa. E ficou provado que Brigid ligou para informar que a arma estava lá, porque há impressões digitais dela no telefone público.

Rasbach assente.

— Exatamente.

— E ela esteve lá, no local do crime, por isso *pode* ter pegado a arma. — Ela reflete por um longo instante. — Se Brigid tivesse deixado tudo como estava, se tivesse simplesmente testemunhado contra a outra mulher, poderíamos ter incriminado Karen. Plantando a arma na casa, Brigid revela ter motivo para cometer o crime.

— Essa é a questão.

A promotora encara Rasbach.

— E você tem certeza de que não há provas de que as duas tramaram isso juntas? Elas eram amigas, não eram?

— Eram. Mas não há nenhum indício de que teriam planejado isso juntas.

Susan Grimes balança a cabeça.

— Até o advogado mais incompetente do mundo conseguiria levantar uma dúvida razoável — lamenta. — Sinto muito, mas teremos de retirar a acusação.

— Foi o que imaginei que você diria — murmura Rasbach, olhando pela janela, de mau humor.

Capítulo Quarenta e Oito

ESTAR EM CASA novamente é estranho e glorioso, depois do desconforto do presídio. Karen se deleita com a felicidade de estar sozinha, de ter silêncio, de não ser constantemente assolada por olhares hostis e cheiros terríveis. Os primeiros dias são como as melhores férias de que já desfrutou. Ela dorme até tarde, toma banhos demorados de banheira, faz seus pratos preferidos. Adora os confortos materiais. Ficar sem eles foi uma tortura.

E há o alívio. Já não existe uma acusação de assassinato pairando sobre sua cabeça. Ela continua tendo de lidar com os indiciamentos por condução imprudente e identidade falsa, mas trata-se de crimes menores. Jack Calvin está cuidando de tudo.

O alívio é... incrível.

Ela já não precisa se preocupar com Robert Traynor em seu encalço para matá-la.

Já não precisa se preocupar com Tom descobrindo sua verdadeira identidade.

Não precisa se preocupar com o fato de alguém estar invadindo sua casa. Porque agora eles sabem quem era. E ela não fará mais isso. Eles trocaram a fechadura. Também instalaram um sistema de segurança que irão manter ligado o tempo todo, mesmo quando estiverem em casa. É um inconveniente, um incômodo, mas necessário. Mesmo com a ordem judicial que conseguiram para manter Brigid afastada deles.

Porque quem obedece a esse tipo de ordem judicial?

Tudo voltou a ficar bem entre ela e Tom. No começo, ela temia que os dois não fossem conseguir superar o que havia acontecido. Ele não gostou do fato de ela ter mentido para a polícia, fingindo se lembrar do que havia acontecido naquela noite.

— Por que você fez isso? — perguntou, quando estavam sozinhos, visivelmente chateado. — Se você não se lembra, por que não disse a verdade, *que não se lembra?*

— Achei que seria melhor assim — respondeu ela. — Achei que poderia nos ajudar.

Ele a encarou.

— Não gosto dessas mentiras, Karen. *Detesto* mentiras.

Ele estava chateado, mas então a acusação foi retirada e Tom pareceu ter superado aquilo. Ela não sabe quem Tom *realmente* acha que matou Robert Traynor. Os dois não conversam sobre isso. Ele sabe que ela não se lembra. Evidentemente acha que Brigid é desequilibrada. Tem medo de Brigid. E, se de fato acha que Karen matou o ex-marido, entende o motivo e a perdoou. Ele não tem medo *dela*.

Ainda parece amá-la, embora seja um tipo de amor diferente, mais cauteloso. Quando chegaram à casa deles, vindo do presídio, assim que entraram, ele fechou a porta e se virou para ela, solenemente.

— Quero que a gente comece do zero — anunciou, segurando seus braços, aproximando o rosto do dela. Nunca antes pareceu tão sério quanto naquele momento. — Chega de mentiras. Promete, Karen?

Ele a segurava com força. Ela olhava para ele de forma intensa.

— Prometo, Tom. Chega de mentiras. Eu juro.

— Agora não temos nenhum segredo — afirmou ele — e quero que seja assim. Para sempre.

— Prometo — concordou ela, os olhos se enchendo de lágrimas.

— Também prometo — sussurrou ele, dando um beijo demorado nela.

Enquanto arruma a cozinha, Karen imagina que Brigid deve estar furiosa, sentada na poltrona de casa, vigiando-os com o tricô no colo. As coisas não aconteceram como ela queria. Coitada. E Karen ouviu dizer que Bob a largou. Que choque deve ter sido para ele descobrir, pela polícia, que a esposa estava incomodando os vizinhos, invadindo a casa deles. Descobrir que ela esteve no local do crime naquela noite. Que talvez seja a assassina e que a polícia acredita que ela colocou a arma na garagem dos Krupps. Não é de admirar que ele a tenha largado. Ela é louca. Talvez ele estivesse temendo pela própria vida. E talvez devesse mesmo. Nunca se sabe o que Brigid pode fazer.

Karen não quer mais saber da ex-melhor amiga. Eliminou-a de sua vida. Agora quer curtir. Está finalmente livre.

Brigid está sentada na sala escura, olhando para a cortina fechada do número 24 da Dogwood Drive. Há um brilho suave por trás da cortina, um calor, uma felicidade que ela sabe que jamais terá, por mais que deseje. As agulhas de tricô batem uma na outra com violência. Ela está triste, com raiva, com desejo de vingança.

Pensa obsessivamente em tudo o que aconteceu. Pelo menos uma coisa boa resultou disso: Bob a deixou. Ele ficou desorientado quando descobriu o que estava acontecendo bem debaixo de seu nariz. Não estava *prestando atenção*. Talvez, se estivesse *prestando atenção*, nada disso tivesse acontecido. Mas, ainda assim, é um alívio que ele tenha ido embora. Já foi tarde. Ela não precisa da desconfiança dele, do desprezo dele. Não precisa das meias dele no chão, da escova de dentes dele na pia, não precisa da bagunça dele, de suas exigências, de sua presença em casa. Contanto que ele continue pagando as contas, é um alívio que tenha ido embora.

É bom estar sozinha, por ora. Se não pode ter Tom, ela não quer mais ninguém. Irá esperar o momento certo para agir.

* * *

As semanas passam, e o verão aos poucos se transforma no outono. As folhas ganham tons de laranja, amarelo e vermelho, o ar fica refrescante, sobretudo pela manhã. Tom arrumou emprego numa empresa concorrente e voltou a trabalhar no centro da cidade, saindo-se bem como contador sênior, com chances de se tornar sócio. Talvez no ano que vem comece a jogar golfe.

Karen está feliz de novo, o que deixa Tom satisfeito. Ele também está feliz, até onde pode ser feliz agora que a vida lhe mostrou o que é capaz de fazer com as pessoas. Jamais voltará a viver na doce ilusão de achar que nada de ruim pode acontecer. Sabe que pode. Às vezes, teme que Brigid o confronte, que sairá de casa correndo com o cabelo desgrenhado, a fisionomia alucinada, tentando furar seus olhos com as agulhas de tricô.

Eles esperam que, em breve, a casa do outro lado da rua seja posta à venda. Agora que Bob a abandonou, Tom e Karen esperam que ele faça Brigid vender a casa e que ela se mude para um lugar menor, em outro bairro. Duas vezes Tom juntou coragem e ligou para Bob no trabalho, para perguntar o que ele pretendia fazer em relação à casa. Mas Bob se recusou a atendê-lo. Ele às vezes pensa em Bob e sempre se sente culpado e arrependido. Se os Cruikshanks não puserem a casa à venda, talvez Tom e Karen tenham de vender a deles. Como podem morar de frente para uma mulher maluca e obcecada por ele? É angustiante. Tom quer se mudar, mas o mercado imobiliário está estagnado, e eles perderiam muito dinheiro. Seria melhor se os Cruikshanks vendessem a propriedade, já que estão se divorciando. Por isso Tom e Karen irão permanecer aqui, por enquanto.

Mas não é o ideal.

Capítulo Quarenta e Nove

Depois de se despedir de Tom, que segue para o trabalho, Karen volta à cozinha para terminar o café. Está animada. Hoje irá de trem para Nova York, onde passará o dia fazendo compras.

Pega a bolsa, a chave e o casaco e liga o sistema de segurança. Olha para o outro lado da rua. Agora é automático, essa espiada furtiva para a casa de Brigid, para ver se a barra está limpa. Não quer encontrá-la de jeito nenhum.

Toma o ônibus até a estação de trem, no centro da cidade. Pegará o expresso até Nova York. Adora andar de trem. Uma das coisas que mais gosta de fazer é ficar olhando a paisagem pela janela, pensando, planejando, sonhando. Gosta de fingir que poderia estar indo a qualquer lugar, ser qualquer pessoa. Sempre fica tentada pela estrada não escolhida.

Compra a passagem e olha ao redor, para se certificar de que Brigid não está ali, em algum canto, escondida. Toma um susto. Poderia aquela mulher perto da banca de revistas ser Brigid, usando uma roupa diferente? Karen sente o corpo se contrair. A mulher se vira. Não, é uma pessoa completamente diferente. Ela tenta relaxar.

Por fim, acomoda-se no trem, numa poltrona na janela. O trem não está cheio, e o assento ao seu lado fica desocupado. Karen deixa a bolsa no banco, torcendo para que ninguém se sente ali. Quer ficar sozinha.

Nas últimas semanas, a memória voltou por completo, no começo, em partes, depois num fluxo ininterrupto. Agora ela pode empurrar aquela porta imunda e ver tudo se desenrolar da maneira que aconteceu. O Dr. Fulton tinha razão: a memória voltou; precisava apenas de tempo.

Ela observa a paisagem pela janela, pensando em Tom, no amor que sente por ele, na confiança dele. Realmente não o merece.

É tão doce da parte de Tom que ele acredite em tudo que ela diz! Tom é tão protetor: seu cavaleiro de armadura reluzente. Ela tem quase certeza de que, se Robert não estivesse morto, Tom iria atrás dele pessoalmente, de tão ultrajado que se sente pela maneira terrível como Robert a tratava. Mas ela não é uma mulher que precisa da proteção dos homens. Jamais foi esse tipo de mulher. É o tipo de mulher de quem os homens precisam se proteger. O pensamento a faz sorrir.

Ela ama Tom. Ama-o tanto que fica até surpresa. Espera amá-lo assim pelo resto da vida. Mas, só porque ela o ama, e ele a ama, isso não significa que ele a *conheça*. O que é o amor, afinal de contas, senão uma grande ilusão? Nós nos apaixonamos por um ideal, não pela realidade. Tom ama quem imagina que ela seja. Já se mostrou ser muito adaptável nesse sentido. Karen ama quem imagina que ele seja. E é assim no mundo todo, pensa ela, olhando pela janela, as pessoas se apaixonando e se desapaixonando, à medida que a percepção da realidade muda.

Ela não é vítima de ninguém. Não é uma mulher maltratada e jamais será. A ideia quase a faz rir. O dia em que um homem levantar a mão para ela será o último dia em que ele tentará fazer isso.

Robert jamais a maltratou. Era um homem razoável, não muito bom, mas também não muito ruim. Mas ela sabia que ele poderia ficar violento se tivesse dinheiro envolvido. Ele andava com aquela gente suspeita, obviamente sabia abrir uma fechadura sem usar a chave. Mas ela não o amava. Tom é o único homem que já amou. Não, Robert foi apenas uma oportunidade. Por causa dele, ela tem um cofre no Chase Manhattan Bank, em Nova York, com mais de 2 milhões de dólares. Sua garantia. E agora ele jamais poderá encontrá-la para exigir o dinheiro de volta. Está morto. Ela sempre teve certeza de que, se a encontrasse, ele a mataria.

Ela se lembra de tudo ao contemplar a paisagem pela janela suja, o dia em que conheceu Robert em Las Vegas, num cassino. Ele era bonito e exibido, tinha dinheiro e gostava de gastar, ao passo que ela não tinha nada. Ele ficou imediatamente atraído por ela. Disse que era antiquário. Isso era verdade, mas ela logo descobriu que o negócio possibilitava a ele outra atividade: lavagem de dinheiro. Karen não é idiota. Morou com ele, observava como ele agia. Às vezes, ele guardava muito dinheiro no cofre de casa, atrás de uma pintura a óleo medonha, no quarto. Jamais disse a ela o segredo. Ela passou meses tentando descobrir.

Os dois se casaram numa daquelas capelas horríveis de Las Vegas, onde pessoas tristes e desesperadas se casam, mas ela não se importou: tinha um plano. Ele queria se casar, portanto os dois se casaram. Ela sempre gostou de planejar a longo prazo. Foi assim que conseguiu o que queria. É só quando entra em pânico que as coisas desandam. Aprendeu isso da maneira mais difícil.

Viveu com Robert, como esposa dele, por três anos, sempre atenta à entrada e à saída do dinheiro. Por fim, descobriu onde ele guardava o segredo do cofre, que mudava toda semana. Foi quando começou a frequentar o Centro Braços Abertos de Aconselhamento e Abrigo para Mulheres, para criar sua história de violência doméstica. Porque agora sabia que poderia pegar o dinheiro no cofre e desaparecer. Sabia que ele não daria queixa do dinheiro roubado — não podia. Mas não queria que ele a procurasse. Planejou cuidadosamente o suposto suicídio e seu ressurgimento como Karen Fairfield. Sabia que, se Robert a procurasse, querendo o dinheiro de volta, teria de matá-lo. E, se fosse presa, já teria sua defesa como esposa vítima de violência pronta.

No entanto, aquilo não deveria ter chegado àquele ponto. Deveria ter dado tudo certo. Planejou com antecedência apenas por precaução. Comprou uma arma sem registro, na qual teve o cuidado de jamais deixar suas impressões digitais. E tinha as luvas. Se não tivesse perdido a cabeça naquela noite, teria dado tudo certo. Seria como o detetive Rasbach disse: ela teria saído impune.

Mas ficou mais assustada do que esperava quando ouviu a voz do Robert naquela noite. E, quando chegou o momento de ficar cara a cara com ele, a hora de matá-lo, não foi tão fácil quanto havia imaginado. Não foi nem um pouco fácil. Ela nunca foi uma pessoa violenta. Gananciosa, sim, mas não violenta. Robert ficou surpreso quando ela apontou a arma para ele. A mão dela tremia, era nítido. Ele achou que ela não seria capaz, que não ia conseguir matá-lo. Robert chegou a rir. Ela estava prestes a abaixar a arma quando ele investiu na direção dela, e, no susto, ela atirou. Três vezes. Ainda se lembra do recuo do revólver em sua mão, a explosão dos disparos no rosto dele, no peito, de sentir ânsia de vômito, do cheiro da luva de borracha quando levou a mão à boca para não vomitar.

Se não tivesse entrado em pânico, poderia ter jogado a arma no rio e tirado as luvas em casa. Poderia ter inventado para Tom alguma mentira boba sobre onde estivera. A polícia teria encontrado o cadáver, descoberto quem ele era e se deparado com a informação de que a esposa morrera alguns anos antes. Não haveria nada que ligasse Karen Krupp à morte de Robert Traynor. Se não tivesse entrado em pânico, largado as luvas lá e sofrido aquele acidente idiota.

Se Rasbach não fosse tão esperto.

E se Brigid não a tivesse seguido. Essa foi a segunda coisa que quase a arruinou.

Ela não poderia ter previsto isso.

Mas deu tudo certo. Na verdade, graças a Brigid. Se Brigid não desejasse Tom tão desesperadamente, se ela não a tivesse seguido e colocado a arma na garagem de sua casa, Karen ainda estaria presa.

E agora Tom jamais saberá a verdade, porque Robert está morto.

Karen está muito feliz. Vai passar no banco, depois irá às compras. Vai procurar um presente para Tom. A vida é boa. Ela ama Tom e espera que a história de amor deles dure para sempre. Talvez os dois agora tentem mesmo ter um filho.

Ela precisa inventar um jeito de "ganhar uma herança" em algum momento, para que ela e Tom possam aproveitar o dinheiro que se esforçou tanto para conseguir. Ou pelo menos parte dele.

Tem certeza de que pensará em algo.

Sozinha na casa vazia, Brigid está sentada de frente para a janela, à espera. O único barulho é o clique frenético das agulhas de tricô. Está furiosa.

Sabe que Karen matou aquele homem — ela estava *lá* — e saiu impune. Brigid disse a verdade sobre o que viu e ouviu naquela noite. E Karen tentou inverter a situação, para fazê-la parecer culpada. Como se atreve!

Agora Karen tem tudo o que deseja. Não só saiu impune como ainda tem pleno domínio de Tom. Pelo menos é o que parece. Mas talvez não seja esse o caso: é difícil dizer daqui. Brigid gostaria de ser uma mosca para entrar na casa. Mas acha que Tom ainda gosta de Karen, apesar de tudo. Como pode ainda amá-la, lamuria-se, o coração batendo descompassado, depois de tudo o que ela fez, depois de todas as mentiras? Isso é uma afronta. *Como ele pode não saber que ela é uma assassina? Como pode acreditar nela?*

Brigid sabe que estragou tudo quando colocou a arma na garagem. Deveria ter deixado as coisas como as encontrou. Seu testemunho teria bastado. Agora Karen conseguiu sua liberdade e ainda a humilhou. Humilhou-a diante da polícia, de seu marido, dos amigos, de todo mundo. Acusando-a de assassinato, dizendo que ela havia colocado a arma na garagem, que invadira sua casa e acabou conseguindo aquela ordem judicial ridícula para mantê-la afastada.

Karen evidentemente acha que Brigid não é tão inteligente quanto ela. Isso é o que todos irão ver.

Brigid não vai desistir; vai continuar aqui. Tem um novo plano. Vai fazer Karen pagar.

E... ela tem um segredo. Abre um sorriso e volta os olhos para a peça que está tricotando com zelo: um casaquinho de bebê pequenininho, na lã marfim mais suave que encontrou. Há muita coisa para tricotar agora. Um gorro e sapatinhos da mesma cor do casaco. Ela também terminou um casaquinho amarelo que vinha fazendo para uma conhecida, mas que havia parado semanas antes porque aquilo a deixava irritada.

Agora isso já não a deixa mais irritada.

Brigid contempla o casaquinho lindo em suas mãos e sente o coração se enternecer. Volta os olhos para o outro lado da rua.

Será tudo perfeito.

Agradecimentos

Devo imensos agradecimentos a muita gente. Levar um *thriller* ao mercado exige o trabalho de inúmeras pessoas talentosas, e tive a sorte de poder trabalhar com algumas das melhores do ramo!

Agradeço a Helen Heller — seus *insights*, seu encorajamento e sua seriedade são exatamente do que eu preciso. Você me deixa impressionada. Agradeço sinceramente também a todo mundo da Marsh Agency, pelo agenciamento internacional incrível que prestam.

Aos meus fabulosos editores devo muita gratidão. Muito obrigada a Brian Tart, Pamela Dorman e à equipe de primeira da Viking Penguin (EUA). Meu muito obrigada também a Larry Finlay e a Frankie Gray da Transworld UK e seu time de profissionais. Agradeço sinceramente a Kristin Cochrane, Amy Black e Bhavna Chauhan, além de à incrível equipe da Doubleday Canada. Sou muito sortuda de ter equipes de edição, marketing e publicidade tão maravilhosas de ambos os lados do Atlântico! O entusiasmo, o conhecimento e a determinação de vocês me deixam de queixo caído.

Obrigada aos meus primeiros leitores — Leslie Mutic, Sandra Ostler, Cathie Colombo e Julia Lapena: suas sugestões e opiniões são sempre muito bem-vindas.

E, por último, eu não teria conseguido fazer tudo isso sem o apoio do meu marido, Manuel, e dos meus filhos tremendamente entusiasmados e generosos, Christopher e Julia, ambos leitores ávidos.

Este livro foi composto na tipografia Palatino
LT Std, em corpo 11,5/16, e impresso em
papel off-white no Sistema Cameron da
Divisão Gráfica da Distribuidora Record.